朝日新書
Asahi Shinsho 763

負けてたまるか！ 日本人

私たちは歴史から何を学ぶか

丹羽宇一郎
保阪正康

JN053220

朝日新聞出版

はじめに　社会不安の時代から、次代への「申し送り」

私は少年期に兼好法師の『徒然草』を手に取るのが好きだった。ここに書かれている人間観察は、鎌倉時代末期に生きる人々の姿を通して仏僧が受け止めた人間観である。青年期、壮年期、そして老年期と関心を持つ「段」は変わるのだが、その変わりようが、私自身の心理上の変化や人生の折々の心境を示していたように思う。

老いたいま、手に取ると例えば「172段」が目につく。この段は、老いを迎えた者が若き世代を見つめる心境を語った内容である。この段の最後、「老いて智の若きに　まされる事、若くして、かたちの老いたるにまされるが如し」という表現が私は好きである。老いると若き時代よりは分別に智が伴うが、それは若い者が老いた者より肉体が溌剌《はつらつ》としているのと同じことである。その「申し送り」が私は好きなのである。

何も若い世代にしたり顔で人生を説こうというのではない。長き人生で会得したなにがしかの「智」というものを語ってみたいとは、私も考えていた。そういう折に丹羽宇一郎さんと対談を行わないかとの話があり、私は喜んでその座に臨んだ。丹羽さんとは出身地も、生涯を懸けた職種も、そして職業を通じて得た社会観も異なるように思えた。共通しているのは昭和14年（1939年）という生年であった。丹羽さんは早生まれなので学年は1年上級になるのだが、世代体験は共通していると感じた。

令和元年（2019年）の師走に何度か対談の機会を得た。対談を重ねるうちに丹羽さんは、とにかく自らの道を正直に、そして真っ直ぐに生きてこられたことがわかった。言葉の節々に、そのような体験を土台にした「智の集積」を持っておられ、それを次代に発していこうとの熱意が感じられた。その智の集積を具体的に確かめることができ、さらにその発信も具体的であることに、私は大いに刺激を受けた。私自身もいささかの継承を進めてきたこともあり、話は弾んでこの書は出来上がった。

二人の意とするところを読み取っていただければと願う。この時代を共にしているあらゆる立場の人に読んでもらいたいとの思いもある。

いま人類史はこれまでとは異なった形での変化の時を迎えているように思う。科学技術の進歩の激しさ、社会環境の価値観の変化、さらにはこの3～4世紀にわたり人類の支えになっていた文明史観の限界、あるいは経済面での新自由主義的な方向、数え上げればたちどころにいくつかの変化の兆しがうかがえる。２０２０年に入って急速に各国に広がった新型コロナウイルスの蔓延も挙げられる。特にこの蔓延はアジアからヨーロッパ、南北アメリカ、やがてアフリカ大陸にも広がり、世界的な規模になっている。それに伴う人々の不安な心理も深刻になっている。

まさに新型ウイルスの感染拡大は、時間と距離を劇的に短縮した現代に応えるかのような勢いを持っている。グローバル化した世界が、新型ウイルスによっていま挑戦を受けていると言える。

ヨーロッパ、アメリカなど、どの国も人の動きを止め、自国の枠組の中にこのウイルスを侵入させまいとしている。実際にそれは拡大、蔓延を防ぐさしあたりの有効な手立てであろう。同時にこれは政治的には麻薬のようなものだ。戒厳令下ともいうべき状態は、ファシズムへの第一歩である。移動制限、集会の中止、排除の論理、そしてコロナという語をもってヘイトの対象にもなっている。いずれも政治の枠から見れば、民主主義の危機である。

この状態を政治的なファシズムの側に傾けさせないで、コロナウイルスと戦えるか否かが、私たちは問われている。日本でも「緊急事態宣言」が出されたが、冷静に対峙できるかどうかが、実は次代の人々から注視されていると考えるべきであろう。

本書において、戦争反対といったスローガンよりも「戦争に近づかない」ということがいかに大切かを、丹羽さんは主張されている。私も全く同感なのだが、このような時代だからこそ改めて「戦争に近づかない」精神を貫きたいとも思う。

繰り返すことになるが、本書は太平洋戦争終結直後に民主主義教育を受けた世代が、戦後75年の間に何を学んだか、を総括した書とも言える。多様な読み方をされてかまわないにせよ、二人の歴史的真意を汲み取ってもらえたら幸いである。丹羽さんはビジネス、そして外交官といった厳しい世界から得たであろう貴重な言葉の他に、警世の至言をいくつも発せられている。私も大いに刺激を受けたことに感謝しなければならない。このような機会を与えてくれた関係者の皆さんにもお礼を述べたい。

保阪正康

負けてたまるか！　日本人

私たちは歴史から何を学ぶか

目次

第3章　日本社会の「空気」と「リーダー」のありかた　87

第4章　「批判」する勇気――アメリカ、天皇、朝鮮半島　125

第5章　日本と中国の関係を考える

※本文中の登場人物には、活動期を類推する参考として原則、初出時に生まれ年（故人は生年・没年）を記しました。

序章　１９４５年の記憶から始めよう

生卵と防空壕とB29

保阪　僕は、小学校入学が敗戦後の昭和21年（1946年）4月。同年生まれですが、丹羽さんは早生まれなので1学年上。昭和20年4月の入学ですね。僕たちが生まれた年は、ドイツ軍がポーランドに侵攻していき、第二次世界大戦が始まった年になります。日本はその2年後に太平洋戦争に入ります。

昭和20年4月はまだ戦争中ですから、小学1年生でも皇国少年ということで、「天皇陛下のために死ね」などと教えられたんですか。

丹羽　田舎に疎開していたから、天皇陛下万歳も何もありませんよ。そのへんの木の実を取って食べるとか蛇を捕まえて焼いて食べるとか（笑）、食べ物のことばかりでした。

保阪　丹羽さんは名古屋市内のお生まれですね。どちらに疎開したんですか。

丹羽　岐阜県の恵那です。母親の実家が海外向けの陶磁器を作っていたので、そこの小屋を借りて家族で住んでいました。

保阪　やっぱり、ひもじい思いをしていたんですね。

丹羽　もちろん。ろくなものを食べていませんよ。だから、いまだに僕の一番好きなのは卵かけご飯。白米に生卵をぶっかけて醬油かけて、がーっと食べる。

保阪　同じです（笑）。あんなにおいしいものはない。昔はみんな自分のうちでニワトリを飼っていましたね。そして、貝を潰して食べさせていた。そうするといい卵になるというので。ニワトリのエサやりが子どもたちの仕事でした。

丹羽　保阪さんと僕の食事会は、おいしい卵かけご飯があれば、あとは何もいらない。安上がりでいいね（笑）。

そういえば、ニューヨークの下宿のおばさんから「お前はバーバリアンだ」と嫌な顔をされたこともありました。伊藤忠商事で、1968年からニューヨーク駐在になったんですが、日本人は卵を生で食べるから「野蛮人」というわけです。「アメリカの卵は生じゃ食べられない。日本の卵は生で食べられる。日本の卵のほうが安全だからだ。それで野蛮人とは、なにごとだ」と言い返しましたが、「冷蔵庫に入っている卵は、頼むから生で食べないでくれ。私がちゃんと料理してあげるから」と言ってきかない。困ってしまいましたね。僕のおじいさんは酒好きで、日本酒をかけて白米を食べていました。

その話をすると、おばさんはもっとびっくりしてました。

保阪　昔はそういう人がいましたね。僕は北海道、札幌ですが、やはり子どもの頃はひもじかった。みんなカボチャとジャガイモばかりでした。ただ、父親が旧制中学の教師をやっていたので、たまに生徒の親が夜中にこっそりと白米を持ってきてくれるんですよ。すると、母親が「今日は白いご飯を食べられるけど、絶対に小学校で言ったらダメよ」と口止めする。で、豆腐の味噌汁と卵かけご飯を食べる。最高の贅沢でしたね。僕は覚えていないんですが、丹羽さんは8月15日を覚えていますか。たとえば、玉音放送とか。

丹羽　ひもじい思いだけで、ぜんぜん覚えていません。ラジオなんか聞く気もしなかった。親は聞いていたかもしれませんが。ただ恵那に疎開する前に、名古屋で艦載機の機銃掃射に追われたことは、よく覚えています。道の両脇にバババーッと、その中を必死で走った。空襲があって防空壕に入ったら、防空壕の前に焼夷弾が落ちて火がブワーッと入ってきたんです。母親が必死になって座布団で消して、あわてて脱出した。逃げていなかったら、みんな焼け死んでいましたよ。

保阪　いまでも思い出すことはありますか。

丹羽　忘れません。たまに寝ているときに、ピカピカの飛行機が何十機も飛んでいくのを夢に見るんです。

保阪　僕も、B29がきれいに編隊を組んで青空を飛んでいくのを、防空壕から顔を出して見ていた光景をいまだに覚えているんです。「あー、きれいだな」と見惚れていたら、母親にぐいっと引っ張り戻された。北海道は7月14日と15日の2日間だけ、室蘭、小樽の港などが空襲にやられたんですが、その日のことはやっぱり覚えています。名古屋は、三菱重工とか軍需工場がいくつもあったから、何回もやられましたね。

丹羽　僕ら家族は1回目の空襲で恵那の山奥に逃げました。そういう中で生き延びてきた身としては、戦争だけには近づいてほしくないな、本当に。「戦争に近づくな」と声を大にして言いたい。

保阪　本当にそうです。せっかく丹羽さんと対話するんですから、戦争、とりわけ日中戦争・太平洋戦争は重要なテーマにしたいですね。

黒板に書かれた「ミンシュシュギ」

保阪　日本が負けて昭和21年、僕は小学校1年生。その時に「民主主義」という言葉を先生から何度も聞きました。

丹羽　うーん、覚えていないな。僕が覚えているのは、国語の先生がよく口にしていた「アメリカは青鬼、赤鬼だ」くらいです。

保阪　僕のところは女の先生でしたが、「ミンシュシュギ」って、片仮名で黒板に大きく書いていましたよ。すごい先生で、「これから民主主義の時代です」とか「東條英機（1884〜1948年）は悪い人です」とか、はっきり言うんです。戦争帰りの先生もいたけど、北海道は、北教組が強かったからすごい教育をしていました。

丹羽　偉いもんだね。僕の場合も小学校、中学校、高校といい先生ばかりで、いまの先生よりずうっと時間的に余裕があったように思います。勉強の度合いが違うのか、人間らしいというのかな。いまの先生はかわいそうだ、雑用が多くて。他に言うことないから、ちょっと自慢していいですか。僕は小学校の6年間、全優。音楽も体育も成績は、卒業するまで全部、優だった。しかも皆勤賞。でも、民主主義を習ったことは、まったく覚えていない……。

保阪　全優？　えこひいきなしですか。

丹羽　あったと思いますよ、僕は本屋さんの息子だから（笑）。でも、母親が言うには「きょうだい5人の中で、6年全優はお前だけだ」と。珍しいからと通信簿を全部とっておいてくれたんです。大学の卒業証書とか名誉博士号とか、どこにやったかわからないけれど、「ウソだろう」と言われたら証拠に見せてやろうと思って、小学校の通信簿だけは、いまも大事に保管しているんです。

保阪　戦後民主主義のことで言うと、「僕たちは上の世代と違うな」と自覚したことはありませんか。たとえば、我々よりも四つ、五つ上の世代は、三角野球なんかして遊んでいると、歴代天皇の名前をすらすらと言うんですよ。「じんむ（神武）、すいぜい（綏靖）、あんねい（安寧）、いとく（懿徳）……」と。僕らは逆に「そんなの覚える必要ない」と叱られた世代だから、神武しか知らない。教育勅語を言う人もいましたね。「朕惟《おも》フニ我カ皇祖皇宗國ヲ肇《はじ》ムルコト……」なんて、もうそういう時代じゃないのに。びっくりしましたね。

丹羽　僕の周りにも言えるのを自慢している人がいました。歌みたいに覚えちゃうんだろうけど、何のためにそんなの覚えるのか。驚くというよりもあきれました。

保阪　僕らの時代はもう男女共学だったので、上の世代からは「お前らいいな」とよく言われました。上の世代は小学校までは一緒だけれども、その後は別々になって異性と口もきけなかった。僕らはそれほど親しくならないけれど、異性と話ができましたよね。それがいわば当たり前でした。その点も民主主義と同じかもしれない。

丹羽　そう、そんなことぜんぜん気にしたことがなかった。特に僕の場合は姉妹が二人いたから。民主主義と同じで、もともとそれまで何かの価値観を持っていたわけじゃないので、価値観が一転したという感じもなかった。

保阪　丹羽さんの家は本屋さんだから、やっぱり本を手あたりしだいに読んでいて、その影響も大きいでしょう。

丹羽　大学に入る頃までは、ありとあらゆる本を読んでいました。仏教の本から手塚治虫（1928～1989年）の漫画から、エログロのカストリ雑誌も「夫婦生活」「あまとりあ」「裏窓」と。だから理論的には、普通の夫婦よりも子どもの僕のほうが優れていた（笑）。同じような雑誌もね、20冊ぐらい出るたびに親に怒られるからブワーッと一気に読むんです。ただ、これを何カ月かやったらヘドが出るようになった。だから「こんなバカなもの、もう絶対読まないぞ」と。後年、「オレが書いてやる、こんな雑誌なんて自分で作れる」と、学生のくせに豪語していました。

保阪　少年雑誌で言えば「少年倶楽部」。江戸川乱歩（1894〜1965年）の人気作「少年探偵団」の明智小五郎と怪人二十面相が載っていた「少年」とか。本で言えば、南洋一郎（1893〜1980年）訳の「怪盗ルパン全集」とか小松崎茂（1915〜2001年）の『地球SOS』、ありましたよね。少女雑誌の「少女」には倉金《くらかね》章介（1914〜1973年）の漫画「あんみつ姫」が連載されていました。

丹羽　そうそう、だから学校の勉強する暇がない。

保阪　でも、全優だからすごいじゃないですか。

丹羽　小学校ぐらいは、家で勉強しなくても大丈夫。とにかく、僕は本屋の息子だから、本でも雑誌でも非常に丁寧に扱うんです。店の売り物を読んでいたので、きれいにめくって、ちょっと折れると伸ばして、必ずピカピカの状態で棚に返す。その癖が抜けなくて、自分のものも非常に丁寧。だから、高校の時に使っていた英語の辞書を、アメリカに行っても使ったし、60年くらい使っていましたね。

保阪　僕も乱読でしたから、本の話も大いにしたいですね。「読書論」もたっぷりやりましょう。

人間をどう理解し、どう生きていくか

保阪　高校の時、共産党とおぼしき同級生がいたんですよ。彼は、たとえば日本史の授業の時に、「そんなことは、うちで教科書を読めばわかります。そんなことは教えなくていいから、先生が戦争についてどう思うか、個人的意見を言ってくれ」なんて質問をして、教師と議論を始める。共産党の教育、それを勉強してきているから言うことが違うんですね。他の生徒はポケーッとしているけれども、そういうやり取りを聞いているうちに、だんだん覚えていく。僕もその頃は何にも知らなくて、「帝国主義」という言葉が行き来してるのを聞いて、「すげーな」と感心していました。その同級生はやがて

ある大学の教授になったと聞きました。最後まで思想を守ったんじゃないかな。

丹羽　我々の世代でも勉強しない人はまったくしないけれど、左っぽい人のほうが一生懸命に勉強しましたね。先生もけっこう左っぽい人が多かった。僕の大学時代の先生で言えば、国際政治学の畑田《はただ》重夫（1923年〜）。労働者教育協会の会長や勤労者通信大学の学長をやって、いま96歳で、ご存命です。共産党系の憲法学者の長谷川正安（1923〜2009年）とか、「大正デモクラシー」という言葉をつくった政治学者の信夫《しのぶ》清《せい》三郎《ざぶろう》（1909〜1992年）とか。みんな面白い人でした。

保阪　丹羽さんは、「60年安保」のときに名古屋大学法学部の学生で、自治会の会長をやっていましたよね。名大は民青（日本共産党・日本民主青年同盟）が強いので有名でした。

丹羽　僕は民青も共産党も大嫌い。なぜかというと、あれほど変わらない連中はいないから。要するに金太郎飴で、口を開けば同じことばかり言っていました。

保阪　じゃあ、ブント（新左翼・共産主義者同盟、非共産党系）だったんですか。

丹羽　いやいや、ブントからも民青からも「入ってくれ」と言われたんですが、僕は人の言うことを聞くタイプではないから。どこに行こうが、「いいものはいい、悪いものは悪い」でやるわけです。たとえば、県学連で演壇に立ったときに「てめーら、いい加減にしろー！」と怒鳴りつけたり。いちいち組織に縛られて、自分の意見を言えなくなるなんてとんでもない。だから一切入らなかったんです。

保阪 僕らの世代は60年安保を経験しましたが、ずうっと戦争もなくて、そういう意味では、苦労した前の世代よりも、こっちは時代空間としてはいい時を過ごしてきたと思う。そのぶんだけ、次代の人たちに何か伝えなきゃいけないという思いが強くありますね。僕の場合は、やっぱり「昭和史」ということになりますが。

丹羽 あえて言えば、僕は「生き方」かな。歴史も含めて、世の中というものをどう見るか、人間というものをどう理解するか。そして、どう生きていくか。我々の対話を通して、ぜひ自分の頭で考えてほしいですね。

第1章　なぜ歴史を伝えなければならないのか

「史料」を疑う姿勢

丹羽 「ポストトゥルース（Post Truth）」とか「フェイクニュース（Fake News）」とか「オルタナティブファクト（Alternative Fact）」とか、数年前から騒がれています。事実を捻《ね》じ曲げたり、あるいはでっち上げたり、それはいかんだろうということで非常に問題になっている。もちろん、僕もそんなでたらめは許せないと思うけれども、ただ一方で、そもそも「歴史」というものは、そういうある種の危うさをはらんでいるのではないか。僕はそうも思うんです。

歴史とは、元をただせば、誰かが目的を持ってその時の出来事を記録した「文書」にすぎないでしょう。つまり、ある出来事を、そのままの「事実」とは違う解釈で、ある目的のために記録している可能性が常にある。よく言われるように、それが勝った側の記録なのか負けた側の記録なのかによって、違うことが書かれていたりするわけです。だから、それを「史料」として後世の人が見たときに、たとえば、戦時中の日本の方針だとか、その真実をめぐって、ああでもない、こうでもないとずうっと議論になる。

「歴史の真実です」とか「これが歴史的事実です」と、簡単に言うけれども、そう簡単なものではないですよ。

歴史家のE・H・カー（1892〜1982年）が『歴史とは何か』の中で言った「歴史とは現在と過去の対話である」という文句は有名だけれども、そういう歴史の不確かさも含めての言葉だと思う。記録をとった連中がどういう目的を持って書いたかによって、後世の歴史の認識は変わってくるし、真実が一体どこにあるのか、誰も知らないかもしれない。

保阪　史料は本当のことを書いているのかというご指摘は、至言だと思います。僕はジャーナリズムの側の人間ですが、アカデミズムの人と話していると、「保阪さんたちは、いろんな証言を求めたりするけれど、アカデミズムではそれは邪道で、あくまでも史料にものを言わせる。史料の吟味が自分たちの大事な仕事なんだ」という言い方をする。彼らはやっぱり史料至上主義なんですね。つまり、本当のことが書いてあるのかという、記録した人の心理的な中にまで入って考えるんじゃなくて、誰がいつ書いたか、どういう立場で書いたかという、言ってみればその人の外的要因だけが担保されていれば、

「これは本当だ」と。僕は、どうもそれはおかしいなと感じていたから、いまの丹羽さんの話は、なるほどと思いました。

具体的に言えば、それは明治維新から始まって、日本の日清戦争、日露戦争の時の史料の残し方などは、やっぱりご指摘のようなところがあると思います。記録した人の心理的な面を考えるための証言があまりにも少ない。それで本当のことがきちんと伝わっているかどうか、疑わしいと思います。E・H・カーはイギリスの人ですが、ロンドンの「帝国戦争博物館」の入り口には、「展示をしっかりとご覧ください。すべて現実にあった出来事です。そして後は自分で考えることです」という館長の言葉が掲げられています。史料と言われているものに対する疑いも含めて、やっぱり自分で考えるということが大事なんでしょうね。

記録されない真実

丹羽　私が一番心配しているのは、記録されない「真実」があるということなんです。何も昔の出来事に限った話ではない。つまり、いま起こっていることが記録されて、やがて史料になるのだから、日々のニュースについても、本当にそうなのかと、よく見ておかないといけないということなんです。

たとえば、2019年10月にワシントンのホワイトハウスであった日米貿易協定の署名式。それに先立って、9月にニューヨークで安倍晋三（1954年〜）首相とドナルド・トランプ（1946年〜）大統領が会談して最終の合意文書にサインしましたが、その後、杉山晋輔（1953年〜）駐米大使とライトハイザー（1947年〜）米通商代表部（USTR）代表によって、正式署名が行われたわけです。

その場にトランプ大統領も立ち会いましたが、30人ほどのアメリカの農家も招かれていたんですね。そして、トランプは演説をして、彼ら一人ひとりと握手したり、肩を叩いたりしながら「この協定はすばらしい」と言って、いちいち「サンキュー・ベリーマッチ・ミスタープレジデント」と返事させたんです。その様子はアメリカのテレビで放送されたけれども、明らかに大統領選挙に向けたキャンペーンですね。

こうしたことは、日本のマスコミでは報道されない。つまり、事実がなかったことになっているわけです。何もマスコミに限った話ではなくて、自動車関税についての安倍首相の発言もそうなんです。安倍首相は「トランプ大統領が追加関税を課さないと確約しているから間違いない」と。ところが実際の文書の中では、「協定の履行中は発動しない」となっていて、将来のことはわからない。関税撤廃については、「今後の交渉に委ねられている」としか書かれていない。安倍首相は「両国に利益をもたらすウィンウィンの合意になった」と言ったけれども、「いずれこれからの議論に任せましょう」というだけなんですね。

そういう状態で残された記録から、将来、日米貿易協定とはじつはこういうものだったときちんと伝わるのかどうか。「ウィンウィンの合意」という記録だけを史料として使われたら、これは真実とは遠いと思うんですね。

田中角栄と周恩来の「恥ずかしい」会談記録

保阪　丹羽さんが言った「記録されない真実」とは、むしろ逆向きの話かもしれませんが、1972年（昭和47年）に田中角栄（1918～1993年）首相と周恩来（1898～1976年）首相の会談がありましたね。この時の「日中共同声明」に至るやり取りは、外務省編纂の文書、書籍などで公表されています。それによると、ちょうど中ソ対立が激しい時でしたから、周恩来がこんなことを言う。「あなたの国はソ連を信用しすぎている。信用しちゃいかんですよ」と。そうしたら田中角栄が「ソ連は日本との間で不可侵条約を結んでいながら（敗色濃厚となると日本に対し）首つりの足を引っ張ったので、日本としては、ソ連を信用していない」と答えたとなっているんです。

首つりの足を引っ張った国というのは、あまりにも品がない言い方だし、日ソ不可侵条約は誤りで、日ソ中立条約ですね。不可侵条約と中立条約はぜんぜん違います。外務省はそういう品のない表現や言い間違いを直さないんですか。「人が弱っている時に平気でダメージを与える」に変えるとか、「日ソ中立条約」と正すとか。そのまま記録したら、田中角栄の品のなさや無知が当時でも公になるわけですよね。田中角栄の味方をする気はないけれども、一国の首相がこんな品のないことを言ったり事実誤認をしていたりということが表に出たら恥ずかしい。さらに後世、史料としてそれが繰り返し読まれるのも、非常に恥ずかしいことだと思うのですが。

文書に残らなかった「尖閣諸島棚上げ論」

丹羽　外務省の官僚は、政治家が言ったことについては基本的に修正しません。後になって、「じつは違うんだ」と言うことはありますが、ほとんどの場合、間違っていてもそのままにして、なんとか上手くごまかそうとします。ごまかせない時は黒塗りするんです。

日中共同声明の時の田中角栄と周恩来の会談で言えば、むしろ問題なのは、記録されなかった真実のほうでしょう。それは尖閣諸島の領有権問題、いわゆる「棚上げ論」です。横浜市立大学名誉教授の矢吹晋《すすむ》（1938年〜）氏によれば、田中首相が尖閣諸島の領有権問題について話そうとした。すると、周首相が「これ（尖閣問題）を言い出したら、双方とも言うことがいっぱいあって、首脳会談はとてもじゃないが終わりませんよ。だから今回は、これは触れないでおきましょう」と言い、田中首相も「それはそうだ。じゃ、これは別の機会に」と応じた。外務省で当時、日中国交正常化を担当した中国課長の橋本恕《ひろし》（1926〜2014年）氏が、外相として同席した大平正芳（1910

～1980年）氏の追悼文集『去華就實 聞き書き大平正芳』の中で、そうしたやり取りがあったことを認めているそうです。でも、この中国課長は外務省の文書には、その記録を残さなかったわけです。

尖閣問題の棚上げの合意については、田中角栄の腹心だった野中広務（1925～2018年）氏が田中から直接聞いたと2013年に訪中した際に語っています。それからすでに公表されていますが、1982年に当時の鈴木善幸（1911～2004年）首相がマーガレット・サッチャー（1925～2013年）首相訪日時に「現状維持する合意があった」と明かしたということが、イギリス政府の情報公開に基づく報道で確認されました。でも、日本外務省はいまだに無言です。

日米同盟からみれば、日本はアメリカの占領国

保阪　佐藤栄作（1901～1975年）が1974年にノーベル平和賞をもらいましたが、受賞した理由の一つが非核三原則「作らず、持たず、持ち込ませず」ですね。ところが2010年、民主党政権の時に、当時の岡田克也（1953年～）外相の指示で

外務省の内部文書が調査されて、政府が否定し続けていた「核持ち込み密約」がアメリカとの間にあったことが明らかになりました。1960年の安保改定の時からあった密約です。2014年には安倍首相も国会で「ずっと国民に示さずにきたのは間違いだった」と認めた。沖縄返還時の「原状回復費肩代わり」にしても、ものすごいペテンというか、詐術ですね。

丹羽　バラク・オバマ（1961年〜）さんは大統領在任中に、核兵器の近代化のために1兆ドルの予算を承認しました。そんな人でももらえるのがノーベル平和賞。トランプ大統領も「オレにくれ」と言って、安倍首相に推薦を頼んだというじゃないですか。ことほどさように、日米同盟については、常に「本当はどうなのか」と、自分の頭で考えながら見ていかないといけない。

保阪　日米同盟は、1951年（昭和26年）のサンフランシスコ講和条約の締結時からずっとたどっていかないと、本当の姿はとらえられないでしょう。

丹羽　日米同盟から見れば、日本はいまだ完全に被占領国で、変わっていません。アメリカの本音がそうです。戦利品として、ソ連が北の千島列島を全部自分のものにするなら、それじゃ俺たちは南の日本の本土以外を全部もらうべきだ、日本に使わせる必要はないと、日本が委任統治していたマーシャル群島とか、南の外地を自分のものにした。沖縄もその一つという考えが、まったくでたらめだけれども、依然としてアメリカの中にはあるんです。

保阪　そうなんですか。ロシアは北方領土の返還について、アメリカが基地を作るんじゃないかと警戒しています。日本がいくら「あり得ない」と説明しても、沖縄を見ている限り、ロシアは決して日本の言うことを信用しないということでしょうね。

丹羽　日本政府は、沖縄に関するアメリカのやり方を内々で了解していると思います。何か事件や事故があった時に、菅義偉（1948年〜）官房長官などが「抗議する」などと言うのは、まったくのウソではないでしょう。ただし、決定的なことは何もアメリカに言えない。もっと密約的な文書があるはずで、あるなら明確にすべきだと思う。

保阪　そういうことをなんとなくわかっていながら、みんな何も言わない。その原因は何かと言ったら、敗戦の時の天皇の詔勅とか東西冷戦の時の論理とか、いろんなものが絡み合っている。それをアメリカは全面的に了解した上で、沖縄を「我々のもの」にしている。変える気なんてまったくないということですね。

沖縄の老人たちの叫び声

丹羽　このままでは、あまりにも沖縄をバカにしている。ある意味で戦争に巻き込まれている状態なのに、放っておかれている。こんな国は世界中を探してもありませんよ。誤解を恐れずにあえて言えば、「沖縄の一部は日本の領土じゃありません」と、明確にしたらいい。国民をだましたらいかん。

保阪　丹羽さんが初めにおっしゃった「戦争に近づくな」という意味でも、沖縄の問題は一番大きいと思います。沖縄の問題は、やっぱり沖縄の人の立場に立って考えないといけない。2019年6月23日の沖縄慰霊の日、沖縄にいたんですが、沖縄全戦没者追悼式で演壇に立って話す安倍首相に対して野次が飛ぶんですね。若い労働組合の人かなと思って見たら全然違って、おばあさんやおじいさん。沖縄の言葉で叫ぶからすぐにはわからなかったけれども、何回も「ウソを言うな」とか「お前はウソつきだ」とか、立ち上がって叫んでいる。そんなお年寄りの姿を目の当たりにして、あらためて驚きました。

丹羽　それはね、本当に戦争をしちゃいけないという、彼らの心からの叫びなんだ。それを日本のメディアはちゃんと報道しない。それがまず問題だと思う。だから僕は講演会とかでよく言うんですよ、「みなさん、朝日新聞でもどこでもいいから、ハガキを出してください。何百枚と届いたら、いくらなんでも報道するでしょう」と。

保阪　沖縄の人以外は、沖縄の問題に基本的に無関心ですね。興味があるのは観光ぐらいで、問題を沖縄の人に全部押しつけて、知らん顔をしている。典型的なのは東京などでも、「太平洋戦争で、本土決戦がなくてよかった。地上戦がなくてよかったですね」なんて、とんちんかんなことを言う人がいる。沖縄戦は本土決戦そのものですよ。それほど沖縄のことを理解していません。

いま沖縄では、基本的に誰もがこの状態に怒っているんです。保守とか革新とかは関係ない。ところが、沖縄全体が怒っているということを取り上げる日本の報道があまりないんですね。だから話が政治化している。沖縄がそうであるように、沖縄以外の人も政治を持ち込んではいけないと思います。

2015年6月に、作家の百田尚樹（1956年〜）氏が自民党の文化芸術懇話会で、「沖縄の2紙は、絶対潰さなあかん」と発言して問題になりましたね。たまたま僕は沖縄タイムスが中心になってやっている政経懇話会に呼ばれていて、あのすぐ後だったので、「予定していたタイトルを変えて、ああいう無作法なことを言う人たちに欠落していることは何か、という話をさせてください」とお願いして、「基本的に歴史の解釈を間違っている」という話をしたんです。講演が終わった後、「今日の話は面白かった、よかったですよ」と声をかけてくれた人の中に、高齢の女性が一人いて、「今日はありがとう」と言いながら涙ぐむんですね。そばにいた沖縄の新聞記者が「沖縄経済界の牽引者です」と教えてくれました。彼女は「私は意地でも、2紙に広告を出します」と言っていました。後で「沖縄では女傑で有名ですよ、あの人でも涙を流すことがあるんだ」と、記者はびっくりしていたけれども、それくらい本気で、誰もが沖縄の新聞はいらないと言われたことに怒っていました。

沖縄の問題は超党派なんですね。だからこそ、たとえ建前でもいいから歴史的な回答をきちんと出さないといけない。それを曖昧にしているから、「基地の経済で潤っている」なんて、いまだにとんちんかんなことを言う人がいるわけです。沖縄の問題は、本当は国民のプライドの問題であり、歴史の凝縮なんです。

戦争体験者の本音の言葉

保阪　戦後生まれが8割を超えて、我々も含めて、これから戦時中を体験した世代がどんどんいなくなっていきます。丹羽さんは戦争体験者に取材されて『戦争の大問題』（東洋経済新報社、2017年）を書かれましたが、この国から戦争の記憶が薄れていく危機感というものを、やっぱり持っていますね。

丹羽　戦争に行った人に会って、「本に名前を出していいですか」と確認すると、「困る」と断る人が少なくありませんでした。本当はみんな思い出したくないんですね、自分が戦場で経験したことを。というのは、あまりにも凄惨で、できれば話したくない記憶だから。仲間を半殺しにして食料を奪って食べたとか、人肉を食べたとか、しゃくにさわる上官の足を引っ張って崖の下に突き落としたとか、やはり言いたくない。でも、「最後だから言います」と、非常に辛い体験を話してくれる人たちがいたわけです。

それぞれ別の時、別の場所でしたが、彼らが最後に僕に言ったことは、ただ一つでした。「戦争だけは絶対にしないでください」。要するに、戦争の記憶から学べるのは、「戦争をしてはいけない」ということだけなんです。たとえば、新兵としてフィリピンの戦場に行った人が言うんです。上官に突然呼ばれて、いきなり銃剣を持たされて、現地人の喉《のど》を「剣で突け」と命じられた。言われるまま突いたけれど、「血も見ませんでした。ギャーという悲鳴もしませんでした」と。そんなことはあり得ません。極限の緊張状態で、恐怖のあまり失神寸前でやったことだから本人は意識不明の状態であったとしか思えない。戦場の話を鮮明に覚えていて、何かもっともらしいことを滔々《とうとう》と話す人がいたら、それはウソなんです。僕はそう思います。

「戦争だけは絶対するな」というのが、戦争をやってきた人たちの本音の言葉なんです。僕が戦争の記憶として伝えられるのは、子どもの頃に体験した事柄と、その言葉しかありません。ただし戦争は、偶発的なことで、その時々に想像もつかないことで起こります。だから何度も繰り返されている。「戦争するな」と言っても、何かのきっかけで戦争になるんです。同じ過ちを繰り返すのが人間なんです。戦争に近づけば必ず戦争になる。だから僕は、「戦争に近づくな」と機会あるごとに訴えているんです。

日本は戦争に近づいているのでは？

丹羽　ところが、最近の日本はどうでしょうか。僕から見ると戦争に近づいています。集団的自衛権を認めた安保法制（平和安全法制整備法と国際平和支援法）はもとより、たとえば、経団連と防衛省が新しい武器を作ろうと会合を開いたりしている。２０１９年10月の初会合で、経団連の片野坂真哉（１９５５年～）副会長は「まさに経済と安全保障を一体的に考え、ビジネスを展開していかねばならない時代が到来した」と述べて、河野太郎（１９６３年～）防衛大臣はＡＩなどの最先端技術の活用や防衛産業の強靭化などを唱えました。まったく戦争から何を学んだのでしょうか。非常に危ないと思いますね。

保阪　僕は講演でよくこんな話をしているんです。「沸騰しているやかんの中に手を入れたら火傷《やけど》しますよ」といくら言っても、実際にやかんの中に手を入れた体験をした人がいなくなると、だんだん「本当かな？　入れたら火傷するのかな？」と、やかんの中に手を入れようとする人が出てきますよ、と。それが、たとえば安保法制でした。

僕らの世代は空襲を見たり、戦場体験者から直接話を聞いたりしているから、戦争の怖さがわかります。でも、もうそれが伝わらなくなりつつある。だから「やかんの中に手を入れたらダメだよ、火傷するよ」と言うだけでは、もうダメなんですね。日本はかつてやかんに近づいて、手を入れて大火傷をしました。なぜ火傷をしたのか、どういうふうに火傷したのか、ちゃんと教えなきゃいけない。沸騰しているお湯の温度は100度、体温は36度前後、だから火傷する。火傷すると、どうなってどうなってと順を追って説明しないと怖さが伝わらない。それが戦争の記憶、および歴史を伝えるということだと思います。

丹羽　火傷しないように、まず手袋をはめて一回入れてみようか。なんだ、大したことないじゃないか。そういうふうに近づいていくんです。戦争を知らない人は、いまおっしゃったように、面白そうじゃないか、ちょっと近くに行って見てみよう。やっぱり面白いじゃないか、今度はもっと近づいて鉄砲を撃ってみようということになる。だから「近づいちゃいけない、遠ざかりなさい」と言い続けることが非常に重要なんです。

でもね、日本は知らず知らずのうちに近づいている。安保法制にしても条文と運用の問題があって、同じ条文でも運用の仕方でなんぼでもできるでしょう。たとえば、2020年1月に始まった中東海域への自衛隊派遣。日本の船の安全確保のための情報収集が目的と言うけれども、ああいう場所は何が起きるかわからない。それが歴史です。文字通り、戦争に近づいているじゃないですか。恐ろしいですね。

保阪　戦時と平時の区別がつかない人が多過ぎます。だから「価値観が逆転する」ということを、まず教えなきゃいけないと思う。たとえば、平時の殺人はとんでもないことだけれども、戦時にはその価値観が逆転して、殺人が公然と美化されて目的化するとか。そういう「いろはのい」の戦時と平時の区別を明確に教えてもらってないから、戦争というものをちゃんと理解できないのでしょう。

丹羽　戦場に入るということは「狂人」になることだから。人間、そうならなきゃ人を殺すことはできないでしょう。無抵抗な人を突き刺すなんて普通の人間じゃできない。

保阪　軍人だった人に「新兵教育って、どういうことですか」と尋ねたら、「君、それは狂人にすることだよ」と平然と答えましたからね。

丹羽　かといって、平時の感覚で「嫌です」と言ったら、「貴様！」と殴られて監獄に入れられるか、ひょっとしたら自分のほうが殺されるかもしれない。そういうのが嫌で、自衛隊を辞める人もいるんじゃないですか。

保阪　民主党政権の時、官房長官だった仙谷由人（1946～2018年）さんが国会答弁で「暴力装置でもある自衛隊」と言って批判されたけれども、それは「いろはのい」です。自衛隊は暴力装置と、当たり前のことを言ったら、「自衛隊はそうじゃない、平和のためのものだ」とか「暴力装置と言われて隊員の士気が維持できるのか」とか、当時野党の自民党は批判した。でも、どんなに飾った言葉を使っても本質は隠せないわけです。軍事を美化する言葉づかいというのも、戦争に近づいている一つの目安になると思います。

怖いのは「沈黙の罠」

丹羽　だんだん温度が上がっているのに気がつかないで、いつの間にか熱湯の中に入っていたなんていうことにならないようにしないと。僕らの学生時代と比べたら、いや10

年前と比べても、相当戦争に近づいています、武器から何から。いまの若者はそれが普通だと思っているけれども、我々からすると、明らかにおかしいし、怖いな。

保阪　安保関連法案が関心を集めていた2015年、僕は大いに問題ありという立場でしたが、地方へ講演に行くと、会場でそれまでにない風景を目にするようになりました。子どもを抱いたお母さんが何人か僕の話を聞きに来ているんですよ。僕の講演はどこでもお年寄りが大半で、赤ちゃん連れの若い女性が来るなんてありえなかった。講演が終わると、彼女たちが「先生、この子が戦争に行くことはないですよね？」なんて心配そうに聞くんです。お母さんというのは本能的に戦争に近づいているということがわかるんでしょうね。だから不安になる。あれ以来、会場にはいつも子育てをしている女性の姿があります。やっぱり彼女たちの中に本能的に備わっている何かの感覚が、戦争に近づいている恐怖、子どもを失うかもしれないという恐怖を感じているんだと思います。

丹羽　子育てに苦労している女の人の感覚は鋭いんです。でも、だからといって戦争から遠ざかれるかというと、そうではない。戦中はお母さんたちも我が息子を、みんな「万歳、万歳」と言って送り出したわけです。もちろん、顔で笑って心で泣いて、だと思いますが。

保阪　安保法制の国会審議中には、シールズ（SEALDs）とか、若者のデモも盛り上がりましたが、結局、成立してしまいました。

丹羽　僕らの学生時代には、「警職法」（警察官職務執行法）の改正案を「治安維持法の復活だ」と言って、初めは野党と労組が中心でしたが、すぐに国民的反対運動に発展して、廃案に追い込んだ。「デートもできない警職法」とマスコミも騒いでね。恋人同士が薄暗い場所に二人でいるだけで、「何してるんだ、コソコソと。ちょっと来い」と警察に捕まる。そんな法律はたまったもんじゃないと、いわば世論が大いに怒った。だから廃案にできたんです。

保阪　１９５８年（昭和33年）の秋、岸信介（１８９６〜１９８７年）内閣の時でした。「デートもできない警職法」は、当時有名な週刊誌ライターだった梶山季之《としゆき》（１９３０〜１９７５年）がつくったキャッチフレーズとされていますね。警職法改正への反対というのは、つまり、戦後の民主化や非軍事化に対する「逆コース」は許さないということで、僕らの世代の共通の思いです。ああいう国民的運動も一つの教訓になると思う。

丹羽　2017年に組織犯罪処罰法が改正されてできた「共謀罪」(テロ等準備罪)もそうでしょう。治安維持法のような逆コースだけれども、若者は反対しない。「そんな法律ができたら恋愛できないよ」と言っても、「そんなの隠れていくらでもできますよ」と平気なんです。そもそも「恋愛に興味ありません」という若者が増えているそうだから、困ったもんだ。中東海域への自衛隊派遣にしても、昔だったら若者は黙っていなかったでしょう。それが若者の正義感だったけれども、いまは、ほとんど正義感のカケラもないね。みんな「自分が幸せであればいい」と思っているんです。

いまのように静かにしていたら、メディアが取り上げません。デモでも何でも、メディアが報道しなければ何もしていないのと一緒で、「反対？　新聞のどこに出てるの？　聞いたことないよ」となってしまう。僕は「沈黙の罠」と呼んでいるけれども、しーんとしているときに何か言うとぶっ叩かれるから何も言わなくなる。その一人ひとりの沈黙がどんどん広がって、ますます静かになるという、まさに罠ですよね。この状態を変えないと何も変わらないでしょう。

保阪　おっしゃるように、メディアが取り上げないとないに等しい。市民運動の力もそうですが、メディア側の力も弱くなったと思います。報道機関の記者たちの意識が変わったんですよ。昔は学生時代から政治的な感覚を持たざるを得なかったし、持っていました。新聞社に入るような連中は、特にその意識が強くて、一言で言えば、「反体制的なのが当たり前だ」と思っていたわけです。いまは基本的には体制順応ですね。

丹羽　いまの若者はノーインタレスト、基本的に興味がない。関心があるのは、高校生は大学入試、大学生は就職、あとはみんなで仲良く楽しく生活できればいい。会社に入ったら、早く偉くなって給料を増やしたい。「日本の政治はどうあるべきか」などという問題意識は、まったくと言っていいほど存在しないんです。

「戦争反対」よりも「戦争に近づくな」と

保阪　「戦争反対」というスローガンがどこか形骸化する中で、丹羽さんのおっしゃる「戦争に近づくな」という言葉で、新しい問題を提起したほうがいいのかもしれませんね。戦争に近づくなという時には、現実に起こる戦争の空間はもちろんですが、かつてあったあの戦争の時代の政治・社会システムに戻るなというメッセージや、戦争という

「解決法」に近づくなといったメッセージも含まれているわけですから。

丹羽　単に戦争反対だと若者はついてこないでしょうね。戦争という空間がどういうものかをちゃんと伝えないと、彼らはゲームやアニメの中にある戦争しか知らないから、ピンとこない。ただし、ノーインタレストな日本の若者も、「平和」と言ったらついてくるはずですよ。何も若者だけじゃない。日本の外交においても、中心は平和の二文字以外にないと思います。平成の天皇陛下（明仁、1933年〜）もそうでしたが、令和の天皇陛下（徳仁、1960年〜）も、即位後に初めておことばを述べた全国戦没者追悼式でも、内外に即位を宣言した即位礼正殿の儀のおことばでも、平和の二文字を何度も使われていました。

たとえば中国や韓国、ロシア、アメリカに対して、5Gの問題とか歴史問題とか、北方領土の問題とか沖縄の問題とか、いろいろあるけれども、平和ということ以外は持ち出さずに、まずは平和を両国で維持しましょうと提案する。日本はアジアの平和、世界の平和を促す役割を果たせる唯一の国だと思います。

保阪　そういう関係を個別に結んでいけば、集団安全保障のようにもなりますね。ところが戦後、平和主義だったはずの日本は、日米同盟の中で少しずつ戦争に近づいてきました。

丹羽　日米地位協定はいずれ見直さないといけないけれども、平和の二文字には、さすがのアメリカもノーとは言わないでしょう。

量子コンピュータが戦力を無力化するか？

丹羽　さっき経団連と防衛省の会合で、河野防衛大臣がＡＩなどの最先端技術の活用を唱えたと言いましたが、いま軍事面で何が一番怖いかと言うとサイバーアタックです。サイバーアタックで、軍事を含めた政府のシステムでも交通や電力といった社会インフラや株式市場などの経済のシステムでも一瞬のうちに止められるからね。だから2019年10月に、米グーグル社がスーパーコンピュータで1万年かかる計算を、わずか200秒で解く量子コンピュータを開発したというニュースを見て、本当かどうかわかりませんが、非常に怖いと思いました。ただ一方で、いまのような軍備は役に立たなくなって、戦争がなくなるのではないかと、変な話ですが、希望も持ったんです。

量子コンピュータが完成したら、暗号も何も役に立たない。あっという間に解読されてサイバーアタックされます。と同時に、攻撃された側も量子コンピュータを使っているから、いまのように犯人捜しに時間がかかる、あるいは特定できないということがなくなるわけです。一瞬のうちに実行者がわかって反撃できる。つまり、お互いがお互いのすべてのシステムを一瞬で停止させることが可能な状況になるかもしれない。そうなったら、核ミサイルでも何でも従来の軍備は必要なくなって、すべてサイバーアタックで事足ります。

要するに、もうこれまでのような戦争は不可能になるわけです。いま日本はアメリカのお古のような武器を買ったりして戦争に近づいていますが、そういうものがまったく無駄になる。しかも、量子コンピュータのサイバーアタック最終戦争には勝者がいない。なにせ一瞬の攻防ですから、先制攻撃も無効で、全世界が一瞬のうちにお手上げ状態になる。ということは、どこの国も戦争できない。つまり、量子コンピュータによって戦争から遠ざかるという見方もできるわけです。

保阪　戦争の概念自体、変わってきたんですね。あるアメリカナイズされた若い経営者が言っていたんですが、クジラとかイルカにそっくりな兵器が研究されているそうです。コンピュータ制御で泳いで敵対勢力の海岸に上陸させて毒ガスなんかをまく。量子コンピュータが完成したら、そういう兵器もサイバー空間でコントロールされている限りは、まったく無駄になるでしょうね。

丹羽　戦争よ、さようなら。武器の開発よ、さようなら。ただし、量子コンピュータは人類を絶滅させる危険性もあるんです。

原子物理学者たちの原爆開発

保阪　いまの丹羽さんのお話は、テクノロジーの進歩が戦争をなくすかどうかという問題提起ですよね。それはハードの面とソフトの面の両方を考えないといけないと思う。少し長くなりますが、日本の原子物理学の発展を例に考えてみます。

土星型原子モデルを提唱した長岡半太郎（1865～1950年）や地球物理学者でローマ字やメートル法を普及させた田中館愛橘《たなかだてあいきつ》（1856～1952年）が、日本の原子物理学研究者の第一世代です。その次に出てくる仁科芳雄（1890～1951年）や湯川秀樹（1907～1981年）が第二世代。その次、嵯峨根遼吉（1905～1969年）や朝永振一郎（1906～1979年）が第三世代ですね。

そして次の第四世代が、ちょうど原爆ができる頃、昭和10年代に東大とか京大とかにいた助教授クラスの学者たちです。丹羽さんもご存じでしょう、名古屋大教授で湯川、朝永と並ぶ素粒子物理学の俊英、坂田昌一（1911～1970年）など当時は京大の講師でした。ウラン235に中性子をあてると巨大な爆発をするけれど、235はウラン原石の中に0・7パーセントしかない。それをどうやって取り出すか。その連中はそんな研究をしていました。アメリカの原爆開発プロジェクト「マンハッタン計画」と内容的には同じようなことです。つまり、日本の第四世代までの人たちは原爆についての知識を持っていたわけですね。

ところが、彼らは広島の原爆を見た。戦後、原子物理学の人たちはこの研究は怖いと、原子物理学じゃなくて量子物理学などに方向転換していきます。それなのに、あえて原子物理学を選ぶ人たちもいる。つまり、そういう研究者はある意味で政治性のない、思慮が浅い人と言えるでしょう。これが第五世代以降ですね。

九州大学で副学長をやっていた吉岡斉《ひとし》（1953〜2018年）さんと話したことがあります。彼は福島第一原発の「政府事故調」（東京電力福島原子力発電所における事故調査・検証委員会）の委員も務めた科学史の人で、研究者の世代でいうと第六世代ぐらいになるんですが、「決して原子物理学をやらなかった」というのが自慢で、原発を批判していました。

「なんでその道に進まなかったんですか」と聞いたら、「原子物理学は覚悟がないとできない学問なんです」と言うんです。「先達の話を聞いていたら、やっぱり私はやっちゃいけないと思って他の研究に行きました。普通の神経では覚悟できません。にもかかわらず、原子物理学をやっている人がいて、テレビに出て福島の原発事故についてコメントしている。彼らはある意味で無神経な人、何も考えないで原子物理学をやった人たちです」とも言っていました。

要するに、世代的に言うと、坂田さんたちの第四世代までの原子物理学の研究者は罪の意識を持っているんです。もちろん、日本に限った話ではありません。世界的にそういう世代の研究者たちは戦後、「パグウォッシュ会議」とかいろんな反核運動に入っていく。パグウォッシュ会議というのは、アルベルト・アインシュタイン（1879〜1955年）とバートランド・ラッセル（1872〜1970年）が1955年に発表した核兵器廃絶の宣言をきっかけにできた、すべての戦争の廃絶を訴える科学者たちの国際会議です。1957年の第1回会議には湯川と朝永が出席しています。マンハッタン計画のリーダーだった理論物理学者のロバート・オッペンハイマー（1904〜1967年）も、戦後には「科学者（物理学者）は罪を知った」と述べて、水爆に反対しました。

悪魔の手先か、天使の恵みか

保阪　戦中、第四世代までの日本の原子物理学の人たちは、科学の発展と倫理の間で悩みました。軍部から「何万人が死ぬものを作れ」と言われて、「作れますけどできません」と。でも「作れ」と命じられて研究を進める。科学的には進歩しますが、相当心理的に苦しむんですね。原子物理学をやった人たちの心の苦しみを湯川とか朝永とかは書き残していますが、その下の世代には伝わっていない。つまり、伝わった人たちはさっさと原子物理学から離れているから、いま原子物理学をやっている人たちの中には伝わっている人がいないという状態なんです。吉岡斉さんは、「いま原子物理学をやっている人はあまりモノを考えないで、予算がつくからとやっている人たちだ」とも言っていましたが、なるほどなと思います。

ただ、ウラン235に中性子を加えると爆発するという科学的発見が、悪魔の手先になるのか、天使の恵みになるのか。分かれ目はあったと思う。人類は初めに悪魔の手先にしてしまいました。そして、天使の恵みになる機会にするのが原発だということで進んできたわけです。ところが、パグウォッシュ会議に出席するような正統派の原子物理学者たちは「悪魔の手先の手法とシステムを使って、天使の恵みを作ろうとするからそこに無理がある」と反対しているんですね。

丹羽　科学者はあくまでも真理の探究をします。専門分野をどんどん突き詰めていく。ただし、発見した科学技術をどう利用するかは科学者だけに任せていたらダメで、どう利用するかを考えるのは他の人の仕事だと思います。基本的に科学者は、これを利用したら危ないということを考えずに、どんどん研究を進めていきますから。

じゃあ、誰が利用の仕方を考えるのか。日本でも最近盛んに言われるようになった

「リベラルアーツ」でしょう。要するに、科学技術の研究チームの中に、必ずリベラルアーツの人間を、理系から離れた哲学者とか宗教学者とか歴史学者とか心理学者とか、文系の人間を入れるわけです。彼らが「君たち、これ以上研究するのは極めてまずいんじゃないか」と、科学者と一緒になって議論をして判断していくというのが、いまの欧米の動きなんです。

僕は科学技術というのには否定的でも肯定的でもなくて、やっぱり真理の追究でいくべきだと考えています。しかし、必ずその中にリベラルアーツを入れていく必要があるだろうと思う。たとえば、量子コンピュータの開発もこのまま技術者任せにしないで、リベラルアーツを入れて、どういうふうにしたら人々の幸せのためにこの技術を生かしていけるのか、そういう方向で議論する必要があるでしょう。科学技術はどこかで倫理の壁にぶつかります。その時には文系と理系という両方の立場がないと壁を回避できない。科学者だけに任せていたら、きっと倫理の壁を突き破って悪魔に利用されてしまう。だから、科学技術を天使の恵みにするためにはリベラルアーツが不可欠だと思うんです。

保阪　戦中、東大では理論だけですが、原爆の開発計画の一端を担わされたそうです。

その研究室にいた一番下の研究者で、戦後にある大学の教授になった人に話を聞きに行ったことがあります。日本の原爆計画をいろいろ教えてくれたんですが、「これから話すことは絶対に書くな、私の名前も絶対に出すな」と言われました。彼は当時、ウラン235に中性子を加えたらどれだけの爆発が起こるか計算ばかりやっていた。爆心地から何キロメートルはビルが全部倒れて、何キロメートルはこの程度破壊されてとか、そういうふうに一つの都市が吹っ飛ぶという計算上の答えを出していたわけですね。

そして、1945年8月6日に広島に原爆が落ちた。その被害状況を知った時、彼は「私の計算がぴたりと合っていたことに喜びを感じました」と言うんです。「これはもちろん言ってはいけないことだけれど、きっと自分の子どもや親や女房が死んでもそう感じたでしょう」と。家族を失う悲しみよりも、破壊の規模がぴったり予測した計算通りだったことに喜びを感じる。それが科学者なんですね。

「ちょっと待て」と言うのが文系の役目

丹羽　「よくぞ実験してくれた」というのが科学者の本音。実行したらこうなるとわかっていたらやらない、ではなくて、わかっていてもやってそれを証明するのが真理の探究なんです。だからリベラルアーツの人間が出てきて、「ちょっと待て」と止めなければいけない。「お前、何のために研究しているんだ」と。それを言うのが文系の人の役目です。科学技術というのは、研究開発の初期の段階から文系を入れないと、やっぱり危ないですよ。しかも、相当の知識や経験を持っている文系の人じゃないと安心とは言えないね。

そもそも正しい戦争なんてありません。天使が悪魔をやっつけたら正しい戦争なのかというと、そうではない。必ず誰かを不幸にするから、天使も悪魔もやるべきじゃないと僕は思います。量子コンピュータで戦争がなくなると期待していますが、また新しい戦争の可能性が出てくるかもしれないですね。

保阪　ナチスの時代（1933～1945年）、ドイツの物理学者はほとんどの人がアメリカに亡命して、マンハッタン計画に携わりました。ただ、秀才中の秀才と言われた理論物理学者のヴェルナー・ハイゼンベルク（1901～1976年）は故国に残ってアドルフ・ヒトラー（1889～1945年）に協力して、ナチスの原爆計画に携わったんですね。戦後、彼は徹底的に批判されています。アメリカ側の学者から「あいつはナチスに協力した物理学者だ」と。国際学会があると、ハイゼンベルクはもちろん来るんですが、誰もまともに相手をしてくれない。なので、常に一人で食事をしていたそうです。つまり、アメリカ側の人たちは「俺たちは民主主義を守る側にいて、ナチスに悪魔を持たせなかったんだ」と。「それに比べてあいつは……」とハイゼンベルクを叩いて孤立させ、生贄《いけにえ》のようにしたわけです。

朝永振一郎がその様子を書き残していて、「そういう光景をずっと見ていて、政治と研究とがどうあるべきかということを考えるようになった」と述べています。アメリカに協力したドイツ人の原子物理学者たちも、ハイゼンベルクを追い込むことによって、自分は正しいことをしたんだと、自分の心理を納得させていたんでしょうね。

ただ原爆については、日本から見れば、そう単純ではない。アメリカ側に立って見れば「ナチスに持たせるよりは、俺たちのほうが正義だった」と言って納得できるのかもしれないけれど、日本は、実際に原爆を落とされたわけですから。

我々には「被爆者」という視点があって、そこから原爆投下に至った政治や科学の歴史を見ることができます。つまり、アメリカ側とは別の「正義」を、日本は提示できるはずなんですね。それをほとんどしてこなかったのが戦後の日本なのかなと、僕は思っているんです。

第2章　戦争を直視する

「ワンチーム」で起こった戦争

保阪　広島と長崎に原爆が落とされたあの戦争まで、日本は明治の日清戦争（１８９４～１８９５年）、日露戦争（１９０４～１９０５年）から始まって、大正時代に起こった第一次大戦（１９１４～１９１８年）、昭和に入って満州事変（１９３１～１９３３年）、そして太平洋戦争（１９４１～１９４５年）と、ほぼ10年おきに戦争をやっています。ただ調べていると、指導者の間や軍人の間で成り行きというか、「何のためにこの戦争をやるのか」ということをあまり明確に考えないで戦争にズルズルと進んで行ったことがよくわかるんです。

丹羽　重要な指摘だと思います。直感というか、ほとんどが「てめえこの野郎、俺をバカにしやがって」ということで始まったでしょう。

保阪　感情論ですね、日中戦争の時に陸軍が掲げた「暴支膺懲《ようちょう》」（暴虐な中国を懲らしめよ）のような。

丹羽　明治初めの「征韓論」からしてそうです。朝鮮に国交を拒絶されたのが「国辱」

というので「やっちまえ」と盛り上がった。日清戦争では、日本の縄張りと思っていた朝鮮に中国が出てきたので「なんだ、けしからん」というのでドンパチを始めた。そしたら日本が勝って講和条約（下関条約）で遼東半島まで手に入れちゃった。ところがロシア、フランス、ドイツが出てきて、「取りすぎだ」と三国干渉。日本は遼東半島を返したものの、「バカにしやがって」という感情論は残って、朝鮮や満州からロシアは出ていけとドンパチやるのが日露戦争です。それは計算だけじゃできない。

保阪　しかし、この国はそうやって持ってきたわけですからね。

丹羽　感情的な国なんですよ、日本は。いまの韓国との間もそうじゃないですか、簡単に言ってしまえば「あいつら生意気だ」と。

保阪　中国の漢民族も周りを「蔑視」していましたね。自分のことは「中華」と言って、周りにいる別の民族は「東夷」「北狄《ほくてき》」「西戎《せいじゅう》」「南蛮」などと呼んでいた。日本は中国から蔑視される側にずうっと置かれていたから、逆に、日本が中国に対してそういう感情を持っても不思議ではない。昭和の満州事変もいま考えると何のために戦争したのかよくわからないけれど、そんな感情に引きずられて、始めたら最後、あとは成り行きでズルズルと……。

丹羽　戦争に行く兵隊さんも何で戦うのかよくわからない。でも、嫌だとは言えない。お母さんもお父さんも顔で笑って心で泣いて送り出したんです。

保阪　戦死すると「誉れの家」とか「名誉の家」とか「勲《いさお》の家」とか、家に表札が掲げられました。

丹羽　結局、ムラ社会的な仲間意識ですね。江戸時代からの「五人組」とか、誰が決めるでもなく、集団の中から異論をはじいていって、それでも黒白はっきりさせない、曖《あい》昧模糊《まいもこ》のまま、これが世の中だということで、みんなが「ワンチーム」になって、わーっと一つの方向にいくわけです。

保阪　１９４１年（昭和16年）12月、天皇が臨席する御前会議で太平洋戦争の開戦が決定しました。その前に「大本営政府連絡会議」というのが何回かあって、そこでほとんど開戦は決まっていたわけです。この会議のメンバーは基本的に軍官僚7人と文官２人。会議の記録をずうっと見ると、「彼も陸軍の中で辛い立場なんだから、彼の言うことも聞いてやらなきゃいけない」とか、だんだん情緒的な話になっていく。そして、開戦という結論が出ます。

僕は日本の戦争を個別に見て、こういうところが原因じゃないかと考えるので、この会議の意思決定の様子が不思議でならなかった。でも、丹羽さんがおっしゃるように、何か無責任体制そのものが黙って増幅していって、増幅すればするほどそれ自体がますますわからなくなるけれども、それがある種のチーム愛として固まるんでしょうね。つまり、会議のメンバー9人の仲間意識です。海軍や陸軍、軍令部とか、いろいろなところを代表していても、結局は大本営政府連絡会議の「村人」になってしまって、その中で開戦の流れがだんだん出来上がると、誰も文句を言わなくなる。本来所属している組織の意向とか国益とか、もちろん誰か一人の判断ではなく、メンバー9人のチーム愛で意思決定されたと考えると、わかりやすいかもしれませんね。

丹羽　直接ね、自分の腹が痛いなら、「ちょっとそれは勘弁してくれよ」ということもあるでしょう。でも、なんの痛痒《つうよう》も感じないわけですよ、日本全体の動きなんだから。「しょうがないんじゃないの、ねえ、みんな」なんて言うと、みんなが「そうだね」と。経済団体でもよくあります。自分の生活に害が及ばない限り、おかしいなと思っても黙っている。波風立てずに「そうだそうだ、シャンシャンシャン」とやって、あとは酒でも飲んで、みんなで楽しくやろうよ、と。それはものすごく恐ろしいワンチームだけれどもね。

保阪　いわば日本社会の空気とか日本人の精神風土とかに関わってくる問題だとしたら、それは相当、根が深いですね。

丹羽　おいおい議論していきたいと思いますが、曖昧模糊としたワンチームの日本を変えることは非常に難しい。でも、何とかしなきゃいけないと僕は思っているんです。その意味でも、この国の歴史を知ることは重要なんです。とりわけ戦争についてはね。

なぜ、あの戦争は起こったのか

保阪　初めに話したように、僕も丹羽さんも昭和20年（1945年）、敗戦の年はまだ5、6歳で戦争の体験も鮮明な記憶もそんなにありません。そして学校では、敗戦した途端にそれまでの教育が裏返しのようになったので、戦争を二度と繰り返さないとか昔は悪い指導者ばっかりだったとか、ずうっと習ってきたわけです。ただ僕自身は、ある時から特攻隊とか玉砕に興味を持つようになって、昭和の戦争などについて調べてきました。その中で、二つのことに気づいたんですね。それは「政治システム」にかかわることで、長くなって申し訳ないけれども、ぜひ聞いてください。

一つは、ファシズム体制について。1936年にドイツとイタリアとが協力・共同する枢軸体制をつくりました。僕はドイツにもイタリアにも賛成できないけれど、一応は両国とも確固とした理念があってファシズム体制をつくったわけです。ファシズム体制というのは、ヒトラーやベニート・ムッソリーニ（1883〜1945年）の思想や理念を実現するための政治体制というふうに言えると思います。その枢軸体制に1940年の日独伊三国同盟から日本も加わった。ただし、当時の日本の政治体制というのは、何の目的でつくるかという理念はなくて、単に日常のシステムをつくっていただけだから、いつの間にかファシズム体制になっていたんです。つまり、そこへ後から理念が乗ってきた。ちょっとドイツ・イタリアとは違いますね。

軍事が政治を制する異質な仕組み

保阪　もう一つはシビリアンコントロール。20世紀の戦争では、世界中でシビリアンコントロールがかなり当たり前になっていて、軍事が政治をコントロールするなどということは、どの国でもほとんどなかったんです。つまり、ほとんどの国では政治が軍事をコントロールしていた。ところが日本は、軍事が政治をコントロールするという、他の国とは異質な戦争の仕組みを持っていたんです。

日本には、シビリアンコントロールがそもそもなかったと言ってもいい。明治の日本の「近代国家」づくりは、軍をつくることから始まったんですね。1868年に幕府から新政府になって国軍を整えましたが、明治憲法（大日本帝国憲法）ができたのは20年ほど後、明治22年（1889年）です。つまり、軍の理念や軍の法規を含めて、軍内のいろんなシステムというのは、憲法に先んじてできていたわけです。

明治憲法の中には二つの軍事に関する条項、第11条（天皇ハ陸海軍ヲ統帥ス）と第12条（天皇ハ陸海軍ノ編制及常備兵額ヲ定ム）がありますが、軍事そのものをコントロールするほど力があるとは書いてありません。つまり、明治憲法そのものが軍事に隷属するかたちになっている。これが近代日本の出発点だったと思うんですね。それが昭和に入って、より露骨に出たと思う。だから軍事が政治をコントロールできたんです。

歴代天皇は戦争を恐れた

保阪　天皇の存在が戦争とどう関わるかということも話しておきましょう。どんな天皇でも、その目的の核心は皇統を守ることです。目的には必ず手段がともないますが、歴史的には、その手段が祈ることだったり伝統芸術を守ることだったりしてきたわけです。

ところが昭和は、皇統を守るために、たとえば東條英機なんかが戦争を手段として持ち込んだんです。それを天皇は拒否できなかった。本当は拒否したかっただろうけれども、そうしなかった。戦争における天皇の存在ということを考える時には、目的と手段という面からとらえないとうまく理解できないと思います。

また、明治天皇（睦仁、1852〜1912年）は日清戦争が始まった時、すぐに「これは朕の戦争ではない、政府の戦争だ」と述べました。でも、説得されて広島の大本営に行く。日露戦争の時にも明治天皇は異様におびえていました。中国の旅順の攻撃が成功したと聞いた時も、顔色を変えずに黙っていたんですね。明治天皇だけじゃない、大正天皇（嘉仁、1879〜1926年）、昭和天皇（裕仁、1901〜1989年）もそうで、調べてみると、どの天皇も戦争をすごく怖がっていたということがわかります。

日本は江戸時代の約270年間、薩英戦争のようなケースもありましたが、国としてはただの一回も対外戦争をしていません。その間、十数代の天皇がいたけれども、明治以前の長い近世の間、戦争というものが天皇の遺伝子の中に入り込んでいないんですね。だから天皇は、戦争に対してものすごく恐怖感を持っているんだと思います。

昭和天皇は、太平洋戦争が開戦してもなかなか伊勢神宮に行きませんでした。僕はすぐに伊勢に参拝して皇祖《こうそ》皇宗《こうそう》に報告をする、あるいは戦勝祈願するのかと思って調べてみたんですが、ぜんぜん行かない。ようやく開戦から1年経って、昭和17年（1942年）12月に伊勢に行くのですが、その時に東條を同行させるんですね。伊勢に詣でる前の晩、京都の御所に泊まるんですが、天皇は気持ちがふさいでいたのでしょう、普段は話したこともない末端の侍従の部屋に入っていって、「どうしてこんなことになったたんだ、誰が悪いんだ、どうして戦争をやったんだ」とつぶやいたという記録が残っています。つまり、昭和天皇は皇祖皇宗に対して「戦争を始めました」と報告することにさえおびえていたわけです。だから「この男の言う通りにやったんですよ」という言い訳のために、東條を連れて行ったのではないか、僕はそう思います。

さて、僕がずうっと関心があるのは、最初に述べたように、なぜ特攻や玉砕をしたのか、あるいはそうさせた政治指導者の根底には何があるのか、という問題です。結局、近代日本の戦争は、政治指導者たちの理念のなさと、近代日本の政治の出発点からして軍事が政治の上に出るかたちがあったということ、もう一つに、天皇自身が戦争に恐怖心を持っているということがある。要するに、かなり他の国と違ったイレギュラーな理屈があったと思うんですね。つまり、日本の政治システムの中で戦争を選択するということの「無茶」というのをすごく感じるんですが、丹羽さんはどう思いますか。

「総動員体制」と「天皇を守る」の意味

丹羽　直接の答えになるかどうかはわかりませんが、まずは前に言った歴史というものの危うさについて話しましょう。歴史というのは結果が出た後に、過去を望遠鏡で見たものですよね。つまり、歴史の解釈にはいろいろな選択肢があって、自分の都合のいいように回路を選択して分析して、一つの筋道をつくっていく。それがいわゆる歴史観でしょう。たとえば過去の戦争についても、その結果を望遠鏡で見る時に勝った人と負けた人とでは、ぜんぜん違う筋道を通って解釈するわけです。

それをお断りした上で、僕の考えを話していきます。いま保阪さんが天皇は戦争に恐怖感を抱いていると言いましたが、同じように、そもそも日本人は好戦的な民族ではないと思います。内輪の戦争以外、国が滅びるかどうかという外国との戦争を日本人自らが始めたことは開国以来、ほとんどない。天皇が戦争に恐怖感を持つのも、日本人が本来、好戦的な民族でなかったからだと思います。歴史をみれば納得できるでしょう。たとえば日清戦争も、中国と戦争したいから始まったのではなくて、日本が朝鮮半島に出て行ったら中国が出てきて、中国と戦う気はなかったけれど、結果として中国と戦うことになったという戦争ですよ。

日本の歴史の中で、東アジアで覇権をとったのは日清戦争が最初ですが、何も好き好んでじゃなくてそうなってしまっただけです。そして三国干渉があって、今度は日露戦争。これもロシアと戦争したいから始まったのではなくて、朝鮮半島と満州というものを軸にしてロシアと戦うことになった。本来、日本人は戦争好きでもなんでもない。基本的に戦争におびえているし、積極的に外国と戦争したことは、ほとんどなかったと言っていいでしょう、第二次大戦まではね。

さて、第二次大戦。1937年の盧溝橋事件に始まった日中戦争が泥沼化する中で、1941年に日米開戦となるわけですが、外務省の米英協調派とか、回避を試みる動きもあったじゃないですか。また、首相の東條をはじめ、軍部の指導者たちは石油の備蓄量やアメリカとの工業力、戦力の差などが絶望的な数字であることを知っていました。それでも、本当の戦争の怖さ、敗戦の悲惨さを知らない日本人は、「勝敗はやってみなければわからない」とばかりに開戦に踏み切った。僕に言わせれば、あの戦争は最初から玉砕覚悟だったんです。

日中戦争によって日本は国家総動員体制、天皇を中心にしたワンチームで誰も反対できない政治・社会状況になっていました。海軍大将の米内《よない》光政(1880〜1948

年）や連合艦隊司令長官の山本五十六（1884〜1943年）が三国同盟に反対していたなど、人々の心の中とか実質的にワンチームかどうかは別だけれどもね。じつは総動員体制というのは、権限の所在が不明確で、誰が責任を取るのかわからない曖昧模糊としたシステムです。「誰が決めたんだ？　誰の責任だ？」と問われても、「みんなで決めました」と答えることしかできない。つまり、指導者にとってはリスクゼロなんです。たとえ失敗したとしても、責任を問われないなら、何でもできるじゃないですか。だから、「てめえ、バカにしやがって」というような感情に任せて、玉砕とわかっている日米開戦を選べた。理性で判断したらとてもできないはずです。

ワンチーム日本は怖いですよ。お互いに同じ感情しか許さず、理性的な異論をどんどん排除する。しかも世論は、弱い者いじめのような後ろめたさがあった中国との戦争とは違って、アメリカとの戦争は強者に挑戦する戦いということで、何のわだかまりもなく沸騰していました。つまり、戦争が国益のための手段ではなく、それ自体が崇高な目的のようになっていたんですね。だから、いざ戦争が始まって決定的に負けるとわかった時点でも、誰も止められなかったわけです。

崇高な目的として、「天皇を守る」という名目もありました。権限と責任が曖昧模糊とした中で、「大権」を持つ天皇が今日的な意味での権限と責任で戦争を始めたのか、続行したのかというのは、いまだに議論のあるところです。ただ、軍部が天皇に真実を言わずに自分に都合のいいことを伝えて、責任は天皇にあるかのごとく引っ張っていったことは確かでしょう。つまり、天皇を守るという目的は、戦争に対する権限や責任を誰が持っているかわからなくする効果があったんですね。

天皇を守るという目的がより鮮明になるのは、むしろ終戦の時です。日本は天皇を守るために終戦したわけです。そして、天皇に権限と責任はなかったということにした。歴史にifはないけれど、もし「天皇を守らない」というのがダグラス・マッカーサー（1880〜1964年）連合国軍最高司令官やアメリカ側の答えだったら、今日のような筋書きの第二次大戦の歴史はないでしょう。

説明しようのない「決定者」

保阪　勝つか負けるかというのは確率の話なので、10対1の差があっても100パーセント負けるとは限らないと考えることができますね。丹羽さんがおっしゃったように、東條はアメリカとの差が絶望的であることを知っていた。でも、何パーセントかは勝つ可能性があると判断したんでしょう。ある軍人と話した時、「あんなに差があるのに、なぜ戦争を選んだのでしょうか?」と聞いたら、「君、軍事力の差だけなら何枚かのカードをお互い出し合って勝った、負けたで終わるじゃないか」と答えました。つまり、軍事力の差というものには戦術とか精神力とか単純に数字には表せない、いろんな付加される要素があるというわけです。だから、常識的に考えたら負ける戦争だけれど、当時の軍部は負けるとは考えていなかったと思います。

ただ、軍人でも政治指導者でも、必ず矛《ほこ》を収めるポイントを決めて、それで軍事を先行させるものです。いわゆる本格的な戦争じゃなくて、収めどころを越えないように政治的に妥協して、ある段階で軍事力に余裕があるうちに和平に持っていくということを考える。ところが日中戦争・太平洋戦争では、そういうことをあまり考えなくなりましたね。

丹羽　日露戦争に勝った後、日本は朝鮮や中国を侵略することになります。そして19

32年、傀儡《かいらい》の愛新覚羅溥儀《あいしんかくらふぎ》（1906〜1967年）を元首とする満州国（1932〜1945年）を作った。当時、日本の農民は困窮していて、その救済のための開拓地ということで、世論も大いに歓迎するわけです。でも、ジャーナリスト時代の石橋湛山《たんざん》（1884〜1973年）がすでに1921年（大正10年）に「東洋経済新報」で、満州や朝鮮などの支配地域は何の利益にもなっていないから放棄すべきだという「小日本主義」を主張していたわけです。政府が軍事の面だけでなく、いわゆる植民地経営、費用対効果という面からも合理的に考えていたかどうかは非常に疑わしい。満州、そして中国となれば、あれだけ土地も民族も膨大な国ですから、その実情を把握することは無理なのでぜんぜん計算できなかったはずです。

ということを考えると、日本の明治以降の戦争の歴史という時に教えようがないんですよ。いったい誰の責任でこんな決定をしたのか、こんな戦争をやったのか。天皇には実質的な決定権はない。首相の責任だとしたら、日清は伊藤博文（1841〜1909年）で日露は桂太郎（1848〜1913年）で太平洋戦争は東條なのか。そうとは言えないでしょう。権限と責任の所在が曖昧模糊としていて、説明のしようがないわけですよ、論理的に。

保阪　太平洋戦争では、「石油がないから戦争するんだ」と軍部は言っていました。でも、陸軍の軍務課の幕僚だった人からの直話《じきわ》では、1941年（昭和16年）頃に三井物産や三菱商事などは、石油を禁輸されている中で、なんらかのかたちで日本に入れるようにアメリカの石油メジャーと交渉していたそうです。直接じゃなくて三角貿易のようなかたちで。ところが、交渉したことをつかんだ陸軍の軍務課が各商社を回って、「石油がないからと言って戦争するんだから、おまえら余計なことをするんじゃない」と、その動きを抑えたそうです。石油がどうにかなったら戦争する理由がなくなってしまう、だから石油を日本に入れさせないようにするというのは、理屈としてまったく滅茶苦茶です。戦争という手段が目的になってしまうと、そんなでたらめも横行するんですね。

全く変わらない日本人の精神風土

丹羽　当時の商社は商社として一生懸命やったと思います。やっぱり政治の力だね。曖昧模糊とした日本の進め方というのはじつに怖い。実際に中国や東南アジアに行った戦場体験者の方々とお会いしても、僕はそう思う。この人たちは、いったい誰のせいであんなひどい目に遭わされたんだ、と。たとえば、ビルマ戦線で1944年にあった「史上最悪の作戦」と言われるインパール作戦。日本軍およそ9万人のうち約3万人が死亡し、傷病者は約4万人とも言われていますが、あれも、中将の牟田口廉也《むたぐちれんや》（1888〜1966年）の責任とされているけれど、彼一人の権限でできたとは思えない。いったい誰の権限と責任なんだ。

保阪　感情や理念、感性で判断しないでプラグマティックに見ていくと、日本の場合、きちんとした理性や理論、知性で説明できることとできないことがある。僕は何人か陸軍省の幹部だった人たちの話を聞いたことがあるんですが、説明できないことは、みんな天皇のところに行くんですね。天皇のところに行くというのは、結局は責任逃れでしょう。

責任の所在が明確でないことで言えば、確かに、東京裁判（極東国際軍事裁判）で連合国が日本を裁く時、彼らは困ったらしいですね。なぜなら裁く主体がないから。1927年（昭和2年）の東方会議以後、陸海軍の指導者や政治家が侵略戦争を進めてきたとして、東條ら28人をA級戦犯として起訴したわけですが、東條なんてその頃は、陸軍中佐に過ぎないんです。そんな権限はぜんぜんない。ようやく1933年（昭和8年）に陸軍少将になって、その後、九州の久留米の歩兵第24旅団長に就任したりしますが。

アメリカ側は、まず「天皇を裁かない」と決めた。そして、軍部が昭和3、4年頃から一貫して謀略を練って満州事変を起こしたとした。でも、その時期に陸軍大臣の椅子に座った人は3人も4人もいるわけで、その全体像を誰か一人が握っていたわけじゃない。だから、謀略の主体というところで、かなり無理して起訴状を作っているんです。

結局、戦争方針を決定する「軍令」（統帥部、大本営）ではなく、行政機関の一つである「軍政」（陸軍省、海軍省）が悪かったということになった。しかも死刑になったのは7人ですが、そのうちの6人は陸軍で、海軍も生粋の政治家も死刑になっていません。もう1人の死刑囚・広田弘毅《こうき》（1878〜1948年）は外交官出身です。要するに、アメリカ側はシビリアンコントロールの観点から、政治が軍事をコントロールしていなかったということと、日本には誰が主体になっているのかわからないけれど、名目的には天皇である、しかしその天皇を裁かないという前提に立って論理を作りました。そのために、行政の側の軍人が裁かれた。つまりは、謀略を練っていたとしたわけです。だから、かなり無理があるんです。

丹羽　何も当時の政治や軍事に限った話じゃない、いまだに曖昧模糊としたままだ。日本の政治のガバナンスは、ずうっと一緒なんですよ。日清戦争、日露戦争、満州事変、第二次大戦と、いったい誰の権限と責任でやったのか。今日の日米地位協定だってそうです。沖縄に限らず、厚木基地の騒音問題とか、首都圏でも航空交通管制権が日本にないような状態。靖国神社の問題にしてもそうだ。いったい誰の権限と責任で何をやっているんですか。安倍首相の「桜を見る会」だって、じつに曖昧模糊、わけがわからない。そんな中で、安保法制や共謀罪、日米貿易協定などの強行採決が繰り返されているんです。

保阪　確かに権限と責任の曖昧さというのは、明治の頃からずうっと続いてきたように思います。丹羽さんは、いつ頃からそういう日本の曖昧さを痛感するようになったんですか。

丹羽　特にアメリカに行って、日本に帰ってきてからそう思ったんです。「こんないい加減なことをやっているんだから、日本は勝てないよ」と。日本の場合は言葉づかいからして曖昧模糊としていますよね。たとえば「保阪さんによろしく言ってください」とか。僕なら「何をなんだ、何をよろしく言うんだ、馬鹿者!」と怒りますが、それで通じるわけです。アメリカにはそういう曖昧な会話が少なかった。

つまり、これはいわゆる言語の違いだけでなく国民性の問題だから相当根深いんです。特に政治においては権限と責任が不明確な限り、曖昧模糊とした日本がずうっと続くんです。戦争の歴史を通じて、我々が反省しなきゃいけないのは、曖昧模糊、無責任体制、権限・責任の不明確さ。それなのに、いまもその精神風土はまったく変わっていない。こんなことをやっていたら日本はつぶれるぞ、というのが一番のウォーニング(警告)じゃないかと思います。しかし、日本がつぶれては困ります。負けてたまるか、の精神を持つべきです。

第3章　日本社会の「空気」と「リーダー」のありかた

ビジネスの世界では通用しない、安倍首相の責任逃れ

保阪　安倍首相は、大臣の辞任とか何か問題がある度に「総理である私の責任、国民のみなさんにお詫びする」なんて口先では言いますが、行動としては何もしません。そういう責任逃れ、責任の曖昧さというのは、たとえば企業においても許されるんですか。

丹羽　ビジネスの世界はそこが違う。お金が絡んでくるから、誰の権限と責任でこの事業をやるかやらないか、比較的はっきりしています。失敗して辞めていく経営者もいっぱいいるじゃないですか。とりわけアメリカの企業は非常に明確です。「俺に権限がある、俺が責任を取る、その代わり給料をたくさんもらう」と。それに対して周りも、失敗したら「責任を取って辞めろ」、あるいは「金を返せ」と、責任逃れを許さない。本当は、政治も税金の使い道を決めるお金の問題だから、曖昧模糊ではダメなんです。権限と責任を明確にしないと、真っ当な政治にならない。放っておくとワンチームになってしまう日本だからこそ、この点はより重要でしょう。

安倍首相に対してはっきりと文句を言う人は、少なくとも自民党ではゼロ。完全にワ

ンチームです。責任は全部、安倍首相というわけではないと思うけれども、過去の日本と何も変わっていない感じがします。このままだったら、また30年このまま行きそうです。ますます沈黙の罠、ワンチームの罠に引っかかって、ものを言わなくなる。いまの日本は、ものすごく危機だと思います。

保阪　１９５４年に吉田茂（１８７８〜１９６７年）内閣が反主流派に倒されて、１９５５年に保守合同で自民党ができました。その後も何かあるたびに、同じ自民党の中だから疑似的ではあるけれども、いわば政権交代が起こっていました。

丹羽　そうです。次から次にオレがやりたいという政治家が出てきて、「責任を取って辞めろ」と言っていましたから。責任逃れというのは許されなかった。そうした動きがいま自民党の中にないというのは、非常に危ない。

保阪　朝日新聞で見たのですが、同社の世論調査によると、安倍政権の支持率は２０１６年７月〜２０１９年６月の３年間の平均が全体で42・５パーセント。そのうち18〜29歳の男性は57・５パーセントと、若者の支持率が圧倒的に高い。その記事には「日経平均株価がいいから」という25歳の男性会社員のコメントが載っていました。

丹羽　いまの日本経済の実態を知らないから呑気に支持できるんです。たとえば、日本銀行が東証1部上場企業の大株主になっている歪んだ状況。日銀は上場投資信託（ETF）の買い入れを毎年、約6兆円規模で進めてきました。その結果、2019年9月の簿価ベースの保有残高は約27兆円。同時期の国内ETFの純資産総額は約40兆円なので、約7割を日銀が保有しているわけです。東証1部の時価総額は約598兆円だから、日銀は5パーセント弱も保有している。

日銀はルビコン川を渡ってしまって、いまさら戻れません。7割ものETFなんて売るに売れない。そのおかげでゾンビのような企業の株価まで上がっていて、実際の業績を表さないような株価になっている。さらに、株価の動きが固定化されて、マーケット自体がどんどん小さくなる可能性も高い。東証の最大株主のGPIF（年金積立金管理運用独立行政法人）が保有している株式と合わせたら約65兆円。こんなにも公的機関が買い支えている株価は、本当に常軌を逸しているんです。そういうことをメディアがあまり報道しないから、日経平均が高いなんて、平気で喜べるんでしょうね。

経済界リーダーの、ある後悔

保阪　僕は30代の時に、湊《みなと》守篤《もりあつ》（1908〜1972年）さんとか中山素平《そへい》（1906〜2005年）さんとか、日本興業銀行出身の財界人に取材したことがあるんです。「あなたたちは戦争の時に何を考えていたんですか」といったことを聞いて歩いたんですが。湊さんは日興證券に移って社長をやって、僕が取材した時は日興リサーチセンターの社長でした。話の途中で、彼が秘書に「ちょっと外に出ていて」と言って、二人きりになったんですね。そして、「君、いまから話すことは書いても書かなくてもいいけれど、僕は一生の悔恨を持っているんだよ」と言って話し始めたんです。

湊さんは東京帝大の経済学部を1931年（昭和6年）に卒業した人ですが、大内兵衛（1888〜1980年）教授の下でマルクス経済学を学んでいたんですね。「大学院に行きたい」と大内教授に話したら、「こんなときに大学院でマル経なんてやるのは危ないし、美濃部亮吉（1904〜1984年）くんがやればいい。あなたは現場に行け」と言われて、日本興業銀行に入ったそうです。確かに程なくして、非共産党の社会主義者らが一斉に検挙される「人民戦線事件」（1937年、1938年）で大内教授も検挙されたり、統制経済を推し進めた革新官僚17人が検挙・起訴される「企画院事件」（1941年）があったりと、マル経はアカの思想だ、共産党だということで、戦中は治安維持法によって弾圧されるわけです。

でも、湊さんは「その時に大学院に行けばよかった」と非常に悔いていました。そして、「こんな立場で言うのは変だけれど、マルクス経済学は全否定できないということを、いますごく感じている」と言ったんです。僕が湊さんに取材したのは1970年頃ですが、東大を出たような経済界のリーダーたちの間でも、その頃はまだ、マル経が間違いかどうかということに結論が出ていなかったんですね。

丹羽　出ていないですね。カール・マルクス（1818〜1883年）の理論が本当にダメとなったのは1991年にソ連が崩壊してからでしょう。

保阪　それまでは「5カ年計画」とか「7カ年計画」なんて言って、日本でもソ連の経済はいいという評判でした。

ウソ宣伝の原因は何か？

丹羽　僕が学生の頃は、英語とロシア語をやってハーバード大学に行って、将来はモスクワで仕事しようなんて思っている人が結構いました。でも、ウソばっかりの宣伝だった。もちろん、当時のソ連だけじゃなくて、さっきの「官製相場」のように、日本の経営もどこまで本当のことを言っているのかわからない。アメリカも中国もそうなんです。

そんなウソの宣伝がはびこる原因は何かと考えると、大きいのは政治家と役人の関係にあると思いますね。たとえば日本の場合、大臣が「こうやるべきだ」と何か間違ったことを言った時に、役人は、トップの事務次官であっても「わたくしはそれに反対する材料を持ち合わせていません、大臣のおっしゃる通りだと思います」などと返事をする。

まったくのウソであっても否定しない。役人というのはそういうものなんです。大臣に歯向かったらクビだから。僕のように「何を言っているんだ、そういうわけにはいかない」と反論したら、「あいつ、早く代えてしまえ」となる。役人は政治家の僕《しもべ》みたいなものです。全部が全部そうではないけれども、そういう傾向がやっぱりあるんです。

だから大臣の力量が非常に重要ということになるけれども、実際には、いろんなものをみんなに差し上げて偉くなっているような政治家が、最後の勲章とばかりに大臣になっているわけです。「在庫一掃」とか「お友だち」とかで大臣の人事をやっているから、次から次に問題が発覚して辞める人が目につくようになる。こういう実態を知らないから若い人の安倍政権の支持率は高いんでしょう。

政治家と役人にイエローカードのルールを

保阪 昔、首相だった宮澤喜一（1919〜2007年）に聞いたことがあるんですが、日本の官僚は、戦争が終わって1946年（昭和21年）に予算を組む時、平時予算の組み方をよく知らなかったそうです。つまり満州事変のあと、1933年（昭和8年）ぐらいから臨時軍事費というよくわからない項目を作って戦時予算をずうっと組んでいた。だから戦時予算の組み方に慣れきっていたんですね、大蔵省は……。

丹羽 前例主義だから何にもできないんですよ、日本の役人は。戦時予算だってあやしいものです。1927年（昭和2年）の昭和金融恐慌の時とか1931年（昭和6年）

のデフレ脱出の時とか、何度も高橋是清（1854〜1936年）が大蔵大臣になって、片面だけを印刷した急造紙幣の大量発行とか大胆なことをやって、たまたま運よくうまくいった。国家的危機への緊急対応というのは、そもそも前例主義の役人には無理なんです。

そこはやっぱり政治家なんだけれども、いまの安倍政権に限らず、首相も大臣もしょっちゅう頭を下げているじゃないですか。安倍首相は「任命責任は私にあります」と繰り返しています。言葉だけで終わらせないように、「任命責任で5回間違ったら首相を辞める」とか、ルールを作ったらどうですか。役人にしても「5回間違ったらクビ」とか、ルールを作るべきですよ。そうしたら公文書の改竄《かいざん》や隠蔽、破棄といった無茶苦茶も減るんじゃないですか。

国会議員になるのに試験がないというのもどうかと思います。立候補する時には読み書きそろばんぐらいは試験をしたほうがいい。そうしたら人気だけで選ばれた人とか、悪評高い世襲議員も減っていくでしょう。立法・行政・司法の三権で、一定の資格を得る試験がないのは議員だけです。いくら選挙の洗礼を受けるといっても、そうでもしないと、政治家の質は劣化するだけだと思う。

保阪　本当ですよね、同感です。選挙に勝ったからといって、決して政治的に有能な人とは限りませんから。

丹羽　お金をあげたり美味しいモノをあげたりして当選する人もいます。サッカーと一緒にしたら怒られるかもしれないけれど、イエローカードを一枚ずつ渡すべきじゃないですか。累積したらレッドカードで退場、出場停止にしたほうがいい。さっきも言ったように、いまは「申し訳ありませんでした」と、5回言おうが10回言おうが、何のおとがめもなし。安倍首相も手の打ちようがないのでしょう、「十分に反省して、再び国民の皆様にご迷惑をかけないように最大限を尽くします」とか、同じお詫びを何回繰り返したことか。いろんな理由、背景があって、それでもやり続けざるを得ないのでしょうが、いまや在任記録更新中ですよ。これじゃあ、いつまで経っても日本の政治はよくならない。そして、ウソをついた役人にもイエローカードを渡す。

保阪　僕は、「首相が退任したら5年以内に回想録を書け」と訴えているんです。それを法制化せよと。首相には在任中の記録を書き残す責任があります。首相在任中から専門のセクションを作ってもいいでしょう。何もすぐ出さなくていい。「30年後に公表しなさい」でいいんです。そうすることで、この人はこういうことを考えてこうだったんだと、歴史の中に伝わっていくと思うんです。歴代の首相についての史料はあちこちから出てきますが、前に議論したように、責任の所在などが非常に不明確で、本人が何を考えていたかよくわからない。何が真実かわからないという状態を、記録の面ではなくしてほしいんですね。

石橋湛山の自由思想

丹羽　歴代首相の中で僕が一番偉いと思っているのは石橋湛山なんです。前にも言ったように、彼はジャーナリスト時代の戦時期から一貫して「小日本主義」を主張したリベラリストで、非常に信頼できる人物だと思う。脳梗塞になってわずか65日間（1956年12月23日〜1957年2月25日）で首相を辞めましたが、政界に復帰すると1959年に訪中して周恩来首相らと会談して、のちの日中共同声明（1972年）につながる「周・石橋コミュニケ」を発表するなど、当時の岸信介首相ら主流派のアメリカ一辺倒的な外交ではなく、中国など共産圏とも国交正常化することを主張しました。簡単に言えば、「日本は欲張らず、みんなと仲よく」というわけですが、いまさらながら正しいと思うんです。

保阪　石橋がいた東洋経済新報社は2020年11月で創立125周年ですが、じつはその記念出版ということで、彼の評伝を書いてくれと頼まれているんです。4年ほど前から調べている中で、僕が興味を持ったのは石橋の全体像じゃなくて、特に首相時代なんです。首相になって65日で病に倒れて、すぐに岸に代わったので実行できなかったけれども、彼が作っていた施政演説などはそれまでの自民党とかなり違うんですよ。結局、その施政演説はちょっと手直しされて岸が代読するんですが、そういうものを読むと、石橋が首相だったら日本の戦後史は少し変わったんじゃないかと思いますね。岸は警職法を改正しようとしたり安保改定をやったりしましたが、石橋だったら東側陣営ともつき合って、また違う外交関係を築いたと思うんです。

丹羽　石橋湛山は彼の本音というか、その真実の声がちゃんと聞こえてくる人物ですよ。一方、岸信介なんかは本当のところがよくわからない。僕には、何かつじつまが合うようにこういう男だという「虚像」がつくられているように思えます。肝心なところが黒く塗りつぶされている感じがする。安倍首相が尊敬する祖父であり、二人は同じようなタイプでしょう。

保阪　石橋の場合は「書く人」だったから、のちの人間もちゃんと「肉声」に触れられるんですね。たとえば、彼を戦後すぐに大蔵大臣に起用した吉田茂首相に対して、途中から鳩山一郎（1883〜1959年）と組んで吉田退陣に動いた。それはGHQ（連合国軍総司令部）が石橋を公職追放にした際、吉田が「お前、蚊に刺されたようなものだと思って我慢せえ」と言って、何の弁護もしてくれなかったことで石橋が激昂したからなんです。戦時下、石橋は反戦的とは言わないけれど、中枢とは距離を置いていました。「それなのに、なんだ吉田さんは！」というわけです。そうしたことがわかるのも、怒りの文章を本人が書いているからなんですね。やっぱり第三者の記述よりも、こんなに怒っているんだという感情が直接的に伝わる。第三者が書くと脚色というか、どうしても加減がありますから。

丹羽　「自由思想」という石橋湛山記念財団の機関誌があります。財団の理事長は長男の湛一（1913〜2003年）さんから孫の省三（1949年〜）さんに代わっていると思いますが。石橋湛山はやっぱり自由思想というものを大事にした人物なんです。

保阪　そうですね。ただ、石橋が選ばれた総裁選が自民党の歴史の中で一番汚かったんですね。対立候補の岸信介も石井光次郎(1889〜1981年)も、みんなが金をばらまいて、ポストをエサにした。リベラリズムという価値観を貫きながらも、一番汚れた選挙を戦って勝ち切ったというのがすごく面白い。石橋の意思はどうあれ、参謀として戦った衆議院議員の石田博英（1914〜1993年）が金をばらまいたり、いろいろ汚いことをやって、決選投票で石井と2・3位連合して7票差で岸に勝った。もちろん、石橋が倒れなければ日本の政治は変わっただろうという僕の評価は変わらないのですが。

丹羽　いい悪いは別にして、政治の世界では、いくら立派な思想があってもお金がなければ何もできません。なぜなら自分の派閥を持てないから。会社でも社長一人がいくら頑張っても何もできない。派閥じゃないけれどもグループ、サポートしてくれる仲間を持っていないと身動きが取れないわけです。いずれにしても石橋湛山のような人は、めったに出ません。いまの政界も経済界もそうだけれども、自分の体をかけて、命を捨ててでも国のためにやろうという人は見当たらない。彼は西郷隆盛（1828〜1877年）を尊敬していたそうじゃないですか。そういう人物が出てきて、なおかつお金抜きで仲間を集められるような人物が出てこないと、政治は大きく変わらないと思います。

政治も企業も、権力者は6年で腐る

保阪　昔、ある人に聞いたんですが、日本火薬製造（現日本化薬）という会社に入社したら原安三郎（1884〜1982年）という人が社長だった。定年までいたらその時も社長は原安三郎だったと。40年近くも同じ社長が続く会社があるのかと驚きましたが、さっきの話の裏返しで、それだけ長く続けられる企業のトップは、責任が明確になっているということでしょうか。

丹羽　いや、社長が圧倒的な力を持っていると、自分に歯向かう人間をクビにしちゃいますからね。責任うんぬんとは無関係です。本当は10年も社長をやっていたら、本人がまずいなと思って自ら身を引いたほうがいい。社長の思う通りに何でも決まるという会社は、ほとんどの場合、おかしくなります。ただ、そういう自覚のない人が社長をやっていて何か失敗したとしても、頑張っているうちに運がよくて盛り返したりすることがある。だから社長業というのは余計にややこしいんです。

僕の持論は「権腐《けんぷ》6年」。権力者は6年で腐るからその前に組織のトップを退け。だから僕も伊藤忠の社長を6年で辞めました。なぜ腐るかというと、自分の言うことを何でも聞く「子飼い」の部下を育てるようになるからです。そうなったら独裁化して、部下もかわいそうだし、組織もおかしくなる。もちろん、そうしたら企業がうまくいくというのではなくて、それをやらないと権力を持った人間はどうしても悪臭を放つようになるんですね。

正直、社長を辞める時に、もうちょっとやってもいいかなとも思った。けれども、なんとなくわかるんですよ、「あー、ゴマをすられているな」というのが。「お前が入ってくるとゴマの匂いするぞ」と、自戒をこめてそんなふうに言ったりもしたけれど、ゴマをすられて悪い気がする人間はいないんです。「この野郎、ゴマすりやがって」とは、どうしてもならない。政治家はカネも支配するし、周りにゴマすりしかいないようになる。心地いいから辞める気にならない、だから腐ってくる。人間の社会はどこもそういう問題が起こるんです。

保阪　丹羽さんは社長の時、誰に一番責任を持とうと考えていましたか。株主か社員か取引先か、それとも……。

丹羽　経営者によって違うけれども、僕は昔から、社員なんです。社員が株を持っているということもあって。そう言えば、2019年8月にアメリカの財界ロビー団体「ビジネス・ラウンドテーブル」が「株主第一主義を見直し、顧客や従業員、サプライヤー、地域社会、株主など五つのステークホルダーを重視する」と、CEO180人くらいがサインして声明を出したんですよ。この団体は、これまで40年以上も「株主利益の最大化が最優先」と公言していたけれども、変わったんです。いま株主のために企業が利益を上げると言うことは、ごく一部の金持ちをますます金持ちにすると宣言することになる。それは企業の本来の目的ではないということに気づいたんです。いずれにしても、社長一人じゃ何もできないのだから、第一に社員というものを大事にしないといけないと思います。

保阪　丹羽さんが伊藤忠のバブル期の負債を見事に処理できたのも、言ってみれば社員のおかげと。

丹羽　社長の力だけじゃできません。社員の理解があったからこそ立て直すことができたんです。「オレについてこい」と言っても、当時は「ついていけるか」という雰囲気だった。でも、社員の信頼を取り戻すことができなければ何も始まらない。やっぱり時間のかかる仕事です。

「株主優先」が問われる、JR北海道と原発

保阪　日本の資本主義の創設者と言われる渋沢栄一（1840〜1931年）は『論語と算盤』という談話録を残しました。それを引いて、経営者の心得として「右手にそろばん、左手に論語」などとよく言われます。

丹羽　そろばんができなければ企業経営はできない。もちろん、そろばんだけあればいいわけではない。経営戦略とか社員のこととか、いろいろ考えないといけない。経営者はみんなそうやっています。とはいえ、両方持てば必ず成功するというものでもないでしょう。

アメリカのCEOたちが株主第一主義の見直しを宣言したことを紹介しましたが、日本企業は、いまだに株主利益優先になっている印象です。遅れていますよね。いま日本の株式市場で存在感が目立つのは前に言ったように日銀、GPIFという公的機関ですが、次はアメリカのファンドですよ。彼らのために一生懸命に社員が働いているとしたら、理不尽だと思いませんか。

保阪　株主利益優先の弊害は、確かに大きいと感じます。たとえば、JR北海道では2011年に社長、2014年には社長経験者の相談役が自殺しています。二人とも入水自殺でした。当時は大きな事故や検査データの改竄などの不祥事があったし、経営もかなり追い込まれていました。いまも業績は好転しそうにありません。JR北海道は全区間が営業赤字で、次々と廃線になっていっています。国の支援を受けているとはいえ、2023年度には400億円の資金不足になる見通しと言います。

「JR東日本は利益が上がっている。その分け前を北海道に回すというかたちはできないのか」という議論がよくあるのですが、実現しませんね。なぜなら株主がそれを許さないから。「どうして我々の利益で北海道の赤字路線を支援するんだ」という声が株主から上がるので提案すらできないそうです。でも、ＪＲはある種の公共性を持っている企業でしょう。北海道には廃線になったら都市に出てこざるをえない人がたくさんいる。赤字であろうがやらなきゃいけないと思うし、東日本の利益を回すというのも、北海道の路線は東日本の路線とつながっているわけだから、強く要求していいはずですが、「株主の了解を得ることができない」というのがＪR東日本の言い分だそうです。企業の社会的責任というものを真剣に考えてほしいと思いますね。

丹羽　原発もそうなんですよ。いま東京電力の大株主は誰なのか。原子力損害賠償・廃炉等支援機構が約55パーセントも持っています。この機構の資本金は政府出資が70億円、原子力事業者等12社が70億円です。つまり、国の支援がなければ東電はほとんど破産しているわけです。福島第一原発の事故処理に22兆円かかると経産省は言っています。東電本体の税引後利益は約２０００億〜２５００億円です。ということは１００年間、儲かった利益を全部補償に回すという計算になる。そんな企業が成立するわけがないのだけれども、ずうっといち民間企業として上場されているんです。

僕はこうしたことにも日本の曖昧さが出ていると思う。東電の経営主体はいったい誰なのか、誰が責任を持っているのか。政府なのか東電なのかよくわからないまま、なんとなくどっちつかずの状態をずるずる続けているんです。「実質的には経産省」なんてよく言われますが、実質的ってどういう意味なんだ。そういうことを明確にしないと、権限と責任が曖昧模糊としたまま進んでいく。それでは社会的責任は果たせないでしょう。

「諫言《かんげん》の士」——耳の痛い忠告をどう聞くか

保阪　「権限の委譲」なんていう言葉もあります。丹羽さんが10の権限を持っていても、全部自分が使うと目標が達成できないから委譲することになるんですね。

丹羽　それは当然です。一人じゃできない。ただ、責任は権限を委譲したほうが取らなくちゃいけない。権限の行使はお前に任せたというだけだから、結果については任せたトップが責任を取る。ある意味怖いことだけれども、そうしないと物事が進まないわけです。

保阪　前に名前が出たインパール作戦の牟田口廉也という司令官は、三つの師団のトップでしたが、彼の部下、つまり3人の師団長たちは、牟田口の作戦計画があまりにも無茶苦茶だから反対していたんですね。だけど、牟田口の方に権限があるから、三つの師団は戦場で命じられていることをやる。でも、こういうことが起こった。それぞれの師団の間で、一方が兵を進める時には一方が援軍を送るというのがルールですが、ある時、Aの師団長は、Bが進む時に援軍すると兵隊が無駄に死んでしまうからと援軍を出さなかったんですね。Aの師団長は責任を問われました。当然ながら、作戦の命令は司令官からきていて、Bの師団長は命令通りに進軍した。Aの師団長は犠牲が増えるというので命令に従わなかった。ただ、実際に援軍がないこともあってBの犠牲は多大だったんです。この責任を丹羽さんならどういうふうに考えますか。

丹羽　司令官が全責任を持つんですから、責任はすべて司令官の牟田口にある。

保阪　やっぱり司令官ですね。それは司令官の作戦上のミスということ。それを第一の責任として、第二に、Aの師団長が命令を守らなかったという責任はあるわけですが、これは誰に対して責任を負うのでしょうか。

丹羽　一番上の司令官に対して責任を負うかたちになると思います。司令官がAの師団長に「お前はクビ」というようなことをやるでしょう。ただ、それは当時の軍隊の形式上の話であって、客観的にいいか悪いかという話ではありません。

僕に言わせると、軍隊のリーダーであっても自分の誤りを指摘・忠告してくれる「諫言の士」をそばに置いておかないといけない。たとえば300年近く続いた唐の時代（618～907年）、初代の高祖《こうそ》（李淵《りえん》、565～635年）、2代目の太宗《たいそう》（李世民《りせいみん》、598～649年）という二人の皇帝は、魏徴《ぎちょう》（580～643年）という諫言の士を大事にしました。魏徴は「瞬間湯沸かし器」のように激昂する太宗に向かって、200回以上も勇気をもって諫《いさ》めたと伝えられていますが、逆に言うと、そんなにも部下からの耳の痛い忠告を受け入れて諫言の士をそばに置き続ける度量が、トップの太宗にあったということでしょう。

人間、自分一人じゃ限界があるんです。たとえば社長なら、部下から「これちょっとおかしいですよ。会社中のいろんな意見を聞いたら、そんな雰囲気じゃない。考え直したらどうですか」と諫められた時に、「貴様、生意気だ」とならずに、「わかった。いいことを言うな、考え直そう」とならないといけない。もちろん、牟田口にそんな度量があれば、インパール作戦などという無茶苦茶な作戦はなかったわけですが。

ただ、軍隊というのは民間と違って部下の反対を許しません。「上官に向かってなんたることを言うんだ、気をつけー、バチン」です。直列の上下関係で黒が白、白が黒になるのが軍隊なんです。大本営参謀からシベリア抑留を経て伊藤忠の会長になった瀬島龍三（1911〜2007年）さんを見ていたからよくわかります。

瀬島龍三の「三つにまとめろ！」

丹羽　じつに曖昧模糊とした日本ですが、軍隊の直列の上下関係だけは非常にはっきりしているんですね。それが身に染みているから、瀬島さんは僕が社長になったとたんガラッと変わりました。特別顧問だった瀬島さんに「これからそちらの部屋に行きます」と言うと、「いやいや丹羽さん、社長に来ていただくわけにはいきません。私がおじゃまします」と、杖をついて、わざわざ社長室においでになる。これが軍の仕きたりなんです。

保阪　瀬島さんは軍隊で優秀だったらしいですね。大量の資料の一番上に「これはこういう資料です」という要約の紙を一枚のせるという場合、瀬島さんはそのまとめ方、適切な意味の取り方において、抜群の能力を持っていたそうです。

丹羽　軍隊の優等生はＡＩと一緒なんです。記憶力とものの分別、まとめる能力は圧倒的に高い。瀬島さんは常に「三つにまとめろ」と言っていました。「こんな厚い資料を三つにまとめられません。六つにしてください」と言っても、「馬鹿もん、重要なことだけ三つ書いてこい。オレはお前と違って六つも読んでいる暇はない。三つと言ったら三つだ」と。六つでまとめて渡したら、その場でビリッと破いて、ゴミ箱にバーンですよ。「あー、コピーとっていません」「こんなのコピーいるか」と、万事そんな調子です。僕がある日、「なんで三つなんですか」と聞いたら、「四つじゃ多い、二つじゃ短い、三つしかないだろう」と（笑）。

保阪　僕は取材で瀬島さんと8時間くらい話したんですが、やっぱり「君な、人間社会って言うのは全部三つに収まるんだ」と言っていました。「だから君な、なんかわかんない時は先にこれには三つのことがありますって、先に言っちゃうんだよ」と。で、僕も聞いたんですね。「どうして三つなんですか」と。そうしたら「右・真ん中・左とか上・真ん中・下とか、三つというのが社会のすべての約束事だ」と答えましたよ。

丹羽　ただ晩年の瀬島さんは、初めに三つと言っても二つしか思い出せなかった。話が本線から支線に入って、どこか田舎の駅で降りたまま、三つ目なしで終わっちゃう。それを見て、「ああ、瀬島さんも人間だなあ」と思いました。僕もよく瀬島さんの真似をして、初めに三つと言ってから話し始めますが、「あっ、まだ二つだな」とか意識しながら話しているんですよ。「オレはまだしっかりしている」と安心していますが、途中で気づかなくなったらもう公の仕事は終わりだね。

保阪　瀬島さんは士官学校を二番、陸軍大学校を一番で卒業したエリート中のエリートの軍官僚でした。よく官僚の「成績至上主義」というのが批判されますが、僕は判断の基準がそれ以外ないのだから、それはそれで仕方ないと思っているんですね。ただ、そこで段々バランスが取れなくなっていくという面があると思います。

たとえば、参謀本部では作戦部作戦課というのが最も大事なんですね。作戦課は人事局の管轄じゃなくて、参謀次長の管轄で、陸大の成績5番以内でなければ入れないんです。これは軍のものすごいエリート中のエリート、瀬島さんもその一人です。作戦計画なんかを見ていると、作戦課の連中は、軍人としてはやっぱり有能だったと思いますね。

もちろん、時代を読んだり政治的に分析したりという能力とは別ですが。

ただ、そういう成績至上主義には弊害があって、5番以内じゃない人の中にも優秀な人がいたわけです。たとえば、まさに時代を読んだり政治的に分析したりという能力においてですね。そういう人材を入れるチャンスがあまりなかったし、それを拾い上げていく仕組みもなかった。そこは問題と言えば問題だったと思います。いまの官僚にもそれは当てはまりますね。

結局、1873年（明治6年）に「官僚の本拠」と言われる内務省ができて以来、官僚組織は一つの歴史を持っているわけです。既にできあがっている内務省が動く論理、組織の原理というのを昭和の軍部もいじることができなかった。内務省でも地方局畑と警保局畑とでは違いがあるけれども、大きくは完全に内務省のルーティンがあって、確固とした枠組みを持っているんですね。

戦後、内務省が解体されて、中にいる人たちの意識は時代とともに変わっているでしょうが、官僚組織の論理とか原理とかは基本的にずうっと温存されていると思います。成績上位者だけを指導部につけていくというのは、全面的に正しいとは思わないけれども、さしあたり仕方ない。ただ、そこに入っていなくても優秀な人はいるから、それを吸収していくシステムがなければ、これからの日本はよくならないと思います。丹羽さんの言葉を借りれば、「諫言の士」が不可欠ということになるでしょうが。

「職」と「位」を明確にした元・大本営参謀

丹羽　思想的に言えば、僕は瀬島さんの考え方は好きじゃない。そもそも「銀時計組」(学校の首席卒業者)という人は独特の風情を持っている人が多い。普通人とはどこか違います。ただ、瀬島さんは、軍隊のいい部分をうまく伊藤忠に導入した。それはよかったと思います。

何かと言うと、軍隊には少将・中将・大将といった階級があるじゃないですか。ただし、少将という位だから司令官や旅団長という職に就けるということではないし、司令官や旅団長という職に就くと少将という位がもらえるわけではないですね。つまり、職と位は分かれているわけです。瀬島さんは、伊藤忠に来た時に同じように職と位のディフィニション(定義)を明確にして、権限や責任、報酬にきっちり差をつけたんです。

たとえば、機械部門の売上1億円と繊維部門の売上1億円は仕事の内容が違います。シャツ一枚で1億円を売り上げるのは大変ですが、機械のほうは何百億円のうちの1億円だからそれ程の苦労はない。ただし、リスクは機械のほうが圧倒的に大きいわけです。だから、機械の部長の権限を大きくして給料も上げ、同時に責任も重くして、失敗したら給料が下がるという仕組みにしたんですね。一方で、繊維の部長の評価には機械と同じ仕組みを導入しなかった。つまり、部長という位は同じでも、職によって差をつけたわけです。また、部長役という新しい位もつくった。これは部長と違って部下を持たない人の階級です。つまり、部長のような権限と責任はともなわない職に、あえて位を与えたわけです。それまでは、部長はみんな横並びだったために権限と責任が曖昧だったので、余計なもめごとが多かったのですが、職と位の定義を明確にしたことでそれがなくなった。おかげで伊藤忠は効率的な組織になりました。

話は戻りますが、諫言の士がいたら、日本は第二次大戦に突入しなかったかもしれないと僕は思います。だから、いまの安倍首相もトランプ大統領も危ないんです。一方は「お友だち内閣」、一方は娘と娘婿で固めた「家族政権」でしょう。諫言の士をどんどん排除している。経済界も同じようなもので、諫言の士を受け入れる度量のあるトップがいないんですよ。それを持ったら経営は50パーセント成功するけれども、なかなか持てないんだね。

後継者選びで重視した「人間性」と「三方よし」

保阪　丹羽さんには諫言の士がいたんですね。一理も二理もあるような異議を唱える部下たちが。

丹羽　二人いました。諫言の士は年下とは限らないし、学歴も関係ない。代々のトップと過ごしてきている経験豊かな人物という場合もある。僕は無配、株主への配当をゼロにしたことがあるんですが、そう決断できたのも諫言の士がいたおかげです。

配当を決める取締役会で、ある部下が「無配にすべきだ」と主張したんですね。「おい、無責任なことを言うなよ」と僕は叱った。「商社は現物を自ら作り上げるメーカーと違う。商社が無配じゃ何にもないのと一緒だ。歯を食いしばってでも配当しないといけない、無配にはできない」と。そうしたら「しかしながら、配当の原資はどこにあるんですか」と食い下がる。「資産を売ったらお金ができるじゃないか」と言ったら、「そんなことをしたら後輩がえらい迷惑だ。いま社長であるあなたは辛抱して、後々の会社のために今年は無配にすると株主に謝ってください」と、こうですよ。僕は「よしわかった。本当に君の言う通りお金がないか、もう一回洗い直せ」と言って、取締役会を中断した。数日後に取締役会を再開して報告を聞いたら、彼の言う通りお金がなかった。それで「よし、配当やめ。無配だ」と決めて、株主にお詫びしたわけです。翌年は過去最高の利益を出したんですが、諫言の士を大事にしないで自分の花道を飾ろうとしていたら、ダメだったでしょうね。

保阪　企業のトップの後継者、次の社長というのはどういうふうに決まるんですか。

丹羽　圧倒的にいまの社長の権限でしょう。こいつは有望だなと思う人間を何人か、数年間見ていくわけですよ、黙ってね。そして、これはいけそうだというタイミングで初めて面談をしていく。最終段階で幹部に、この2、3人の中で誰がいいと思うか意見を聞く。事前には絶対にもらさない。僕は次期社長を指名する当日になって初めて名前を明らかにしました。そうしないと、人間は賢いからね。「ご飯、食べに行きましょう」とか「ゴルフに行きましょう」とかゴマすりを始めるんですよ。

保阪 丹羽さんは後継者を選ぶ時に、どういうところを重視したんですか。

丹羽 諫言の士的なことを言うかとか自分の意見をちゃんと言うかとか、いろいろあるけれども、一番は社員の信頼を得ているかどうかでした。能力はそれほど変わらないから、結局は人間性です。会社の文化を継承できるかどうかも大事で、伊藤忠で言えば、売り手よし・買い手よし・世間よしの「三方よし」。近江商人である創業者の伊藤忠兵衛の精神です。僕がよく言うのは、「クリーン（清）・オネスト（正）・ビューティフル（美）」。そんな商社マンとしての根本を守っていけること。社長を退いた僕の言うことを聞きそうな人間というのも、社員や関係者が見ればわかるものです。トップはこうした気持ちで後継候補を見ていかなければいけないと思います。

保阪 近年は、社外取締役が過半数の指名委員会が社長を決めるケースも増えているようですね。

丹羽 経産省が旗振り役ですが、いかにもアメリカの真似をしていればいいという安易な発想で、僕は大いに疑問を感じています。月に2、3回しか出社しないような社外取締役に会社の何がわかるんでしょうか。あえて辛辣に言えば、単なるウィンドー・ドレッシング（窓の飾りつけ、粉飾決算の意も）だと思う。3、4社の社外取締役を掛け持ちしている社長もいる。月に12日もよその企業の取締役会に出て、「自分の会社は大丈夫なの？」と心配になりますね。コーポレートガバナンスのためとか言うけれども、社長が自分のお気に入りを選んでいるような状態で、果たして諫言の士的なことが言えるのかどうか。

そもそも社外取締役がいたほうが企業の業績は上がるというデータが出ていないじゃないですか。社外取締役の数が多い企業とその業績を一覧表に並べてみても、何の相関関係も見つからないからでしょう。それなのに、なぜそうした役員を増やそうとするのか。僕には、年寄りが座っているだけでカネと時間の無駄としか思えないのですがね。

「三日やったらやめられない」社長の心得とは

保阪　「アメリカの真似」で思い出しました。僕は2019年の夏に、50代の経営者たちの勉強会で講演したことがあるんです。ハーバード大でMBAを取ったとか、いわゆる優秀な大企業トップのプライベートな会合だったのですが、「近代日本のナショナリズムの話をしてくれ」という依頼だったので、軽井沢まで出かけました。

少し話しているうちにすぐわかったんですが、彼らの頭の中はアメリカのビジネススクールの経営知識で膨れ上がっているんです。その手の会話はいくらでもできる。けれども、「日本人とは何か」とか「日本らしい発想とは何か」といった話になると、途端に会話が鈍くなるんです。どうしてかなと思ったら、彼らは日本の教養的な本、たとえば、宮本常一《つねいち》（１９０７〜１９８１年）や柳田國男（１８７５〜１９６２年）などにほとんど接していないように思いました。だから日本の常民のことなんかほとんど知らないんです。

そういう知識がないと各界のリーダーたちとうまく会話できないんでしょうね。とりわけ外国に行った時には日本のことを聞かれるから、知識の必要性に迫られているはずです。近代日本のナショナリズムなんていうテーマに関心を持つのも、おそらくそのせいでしょう。だから僕の印象としては、何か会話するのに使う便宜的な情報として、彼らは知っておきたいんだなとも思いました。どの経営者もそうだとは思いませんが。そもそも日本の歴史や文化は付け焼刃でなく学ぶことが大切でしょう。

丹羽　日本の経営者には、鎌倉時代から戦国時代、日本の歴史上、最も暗い中世を勉強してほしいと思います。特にその時代に庶民がどれだけ苦しんで生活して来たかということを。そうした本を読む知的な余裕がないというのは、やっぱりダメです。何も本を読むだけが勉強じゃない。誰も訪れないような田舎に行って、自分の足でそこを歩いておじいちゃん、おばあちゃんの生活に触れてみるのも勉強になるでしょう。そういうことが我々の今日につながっているんだと、自分の体験としても学んでほしいな。

保阪　日本でもアメリカの経営学を学んだという経営層が多くなりましたね。社外取締役になるのもその手の人が多い印象です。

丹羽　アメリカで学んだ経営学も、あまり役に立っていないのではないでしょうか。社長に報酬をもらっているのだから文句は言えないと、黙って座って賛成だけしているケースが多いように感じる。ほとんど意味がないと思いますね。

保阪　『社長って何だ!』（講談社現代新書、2019年）という本を出されましたが、丹羽さんから見て、日本企業の経営層の一番の問題は何ですか。

丹羽　まさにそのタイトルの通りで、「社長とは何か」ということを誰一人、真剣に考えていないことではないでしょうか。たとえば、日本でも社長と平社員で報酬の格差が大きくなりました。これもアメリカの真似でしょうが、社長一人じゃ何もできないのに、一人でやったような顔をしてたくさんのお金を得ている。僕は社長になった時に、こんなにもらっちゃダメだと思いました。

年収1億円の社長と年収5００万円の平社員の場合、月20日間、1日8時間働くとすると、社長の時給は5万2０００円、平社員の時給は2６００円くらいです。つまり社長は、トイレに行ったり新聞読んだり、ゴマをすられている間でも、1分間に約8６6円も天井からチャリンチャリンとお金が落ちてくるわけですよ。平社員の1分は約43円だから、「てめえら、いい加減にしろ」と、昔から思っていたんです。社長と言ったって、秘書になんだかんだとやらせているんだし、そんなにもらえるほど仕事していないだろう。

昔は坊主と乞食は三日やったらやめられないと言ったけれども、社長だって三日やったらやめられないんです。そういう点を社長は自覚して、ちゃんと反省しないといけない。そのためにも、MBAも大事だが、日本の庶民がどれだけ苦しんで来たか、日本の文化と歴史も学んでほしいと思うんです。

第4章　「批判」する勇気——アメリカ、天皇、朝鮮半島

トランプ大統領と米中貿易戦争の行方

保阪　中国とアメリカの関係は今後どうなると思いますか。世界史的に見れば、かつてイギリスが世界をリードしていました。やがてアメリカがリードするようになって、ソ連が対抗していたけれど、ソ連はつぶれていった。そして、いまアメリカに中国が挑戦するかたちになっているわけですね。結局、中国もアメリカに敗退するのでしょうか。

丹羽　いまの「貿易戦争」に限って言えば、中国は簡単には負けないと思います。貿易というのはゼロサムで、世界中の輸入（マイナス）・輸出（プラス）を全部集めたら、トータルはプラスマイナス・ゼロになります。つまり、今日のようなグローバリゼーションをやめたら、全部の国が損をするんですね。そういう大きな枠組みの中で、大量にモノを輸入しているアメリカと大量にモノを輸出している中国とどちらが困るかと言うと、僕はアメリカのほうだと思う。なぜなら中国並みに、あれほど大量に迅速にモノを生産できる国や地域は、現時点において存在しないから。ただ、「覇権争い」という意味では、中国が共産党の一党独裁である限り、アメリカが引き下がることはないと思います。

トランプ大統領はこのまま徹底的な対中闘争を続けるでしょう。中国はテクノロジーにおいて勝つ部分はあるかもしれませんが、結局、ドルが国際基軸通貨なので、アメリカは強気でいられるんです。ドルを使わないと国際的な商売はできない。特に石油が買えません。ドルで何が決済されているか、アメリカは世界中の動きをつかんでいるわけです。アメリカは、ドルを介した国際決済で世界を支配しているんです。

世界中の国・地域の金融機関が加盟している「国際銀行間通信協会」(SWIFT＝Society for Worldwide Interbank Financial Telecommunication)のドル決済システムによる取引は1日770兆円とも言われています。日本のGDPが550兆円ですから、その膨大さがわかるでしょう。そして、アメリカが「こいつをはじけ」と言ったら、その国の金融機関はSWIFTの決済システムを使えなくなる。実際、いまイランやロシアが使えなくなっています。

これに対して、中国やロシアが新しい決済システムをつくるとか国際決済に仮想通貨を使うとか、ドルの支配に釘を刺そうとするような動きがありますが、現実的にはアメリカのドルの力は変わらずものすごく強い。トランプ大統領があれだけ鼻息が荒いのはそのせいです。その意味では、石油を核とする金融面でいまのところ中国に勝ち目はないでしょう。

保阪　トランプ大統領はアメリカの田舎の人の心情を吸い上げていますね。ニューヨークやワシントンの知識階層からは相当嫌われていますが。

丹羽　アメリカ人は大都市を除けば基本的に田舎者ですから。ニューヨークとかワシントンとかロサンゼルスのような都会は一部で、大部分は田舎町です。そこで都会のような洗練された教育を受けられるかというとそうではない。金融やＩＴを中心に第３次産業で圧倒的な力があるように見えるけれども、実際問題として、地方にちゃんと教育を受けた人たちがどの程度いるのかというと、かなり問題があるわけです。

「ニューヨーク・タイムズ」が、２０１７年１月の就任から２０１９年10月までのトランプ大統領のツイッターの全投稿を分析したところ、総数約１万１０００のうち、６０００弱が「誰かまたは何かへの攻撃」で、２０００超が「自分の行動などを称賛するもの」だったそうです。先に紹介した日米貿易協定での農家の人とのやり取りもそうですが、そんなものをスマホで読まされたりテレビで見せられたりしても、トランプ大統領が好きというのだから、洗練されているとは言い難いですね。

保阪　僕はテネシー州の州都ナッシュビルに1カ月ほど滞在したことがあるんですよ。日産とかいろんな日本企業が入り始めた頃で、友人の家に厄介になっていたんですが、ニューヨークやワシントン、ロサンゼルスとはまったく違う世界でした。僕は英語ができないからとも言えるけれど、南部の訛りがきつくてほとんどわからなかった。それに、ニューヨークに行ったことがないという人ばかりで、まったくの田舎の生活でしたね。「どっから来た?」と聞かれて「日本だ」と答えても、日本と中国の区別がつかない。でも、「あなたの父親の世代は日本と戦争したんだ」と話したら、「親父が日本人に背中を見せるなって言っていたのはお前らのことか」と、そこで初めて驚いたりして。真珠湾の奇襲攻撃のことでしょうが、そういうことは伝わっているんだとわかって興味深かったですね。

ところで、トランプさんは2020年11月の大統領選で再選されるんでしょうか。いったん弾劾裁判で攻勢を強めた民主党ですが、結局は無罪評決になった。それにトランプ大統領に対して強力な対立候補が出るのかどうか……。

丹羽　僕は再選されないほうがいいと思うけれども、何が起こるかわからないのが選挙です。今までのトップよりはましだと信じられているトランプに、田舎の農家や工場労働者が「お前の言ったようには生活がよくならないじゃないか」と、不満を叫び出したら負けるでしょう。いずれにしても、トランプ大統領がジョージ・ワシントン（1732〜1799年）のように、アメリカの偉人伝に残るなんてことはあり得ないでしょう。

日米関係の真相と天皇の政治利用

保阪　1853年（嘉永6年）にペリーが黒船で浦賀に来て、翌年に日米和親条約を結んでアメリカとの国交が始まって、170年近く経ちました。いまの日本とアメリカの関係というのは、これまでとは違う関係、つまり隷属が強まっているように思うのですが。

丹羽　日米関係と言うよりも、僕には安倍首相とトランプ大統領の関係だけに思えるんです。しかも、トランプ大統領にとって「シンゾー」はアメリカの国内政策面での相談相手ではないし、安倍首相が一方的に「ドナルド、ドナルド」と言っているだけでしょう。対米外交だけでなく、中東問題とかでも、世界の指導者たちは「いったいプライムミニスター・アベはトランプに何を期待しているのか」と、日米の「蜜月」を冷ややかに見ていると思います。30回近く会談しているウラジーミル・プーチン（1952年〜）大統領との関係にしてもそうだと思う。日ロ平和条約なんて一歩も進んでいません。

保阪　トランプ大統領にバカにされているんでしょうね。

丹羽　彼の本音は「自分たちは自分たちで守れ、オレは知らないよ」じゃないですか。トランプ大統領は、平気で東南アジア諸国連合（ASEAN）やアジア太平洋経済協力（APEC）の会議を欠席しますね。要するに「アジア軽視」なんです。日本にしたら「東西冷戦の防波堤として我々を使って、いまさら軽視なんて許せない」と思うかもしれないが、「そんなのは自分でやれ」というわけです。誤解を恐れずに言えば、トランプ大統領は白人至上主義者であって、基本的に「イエローモンキーとは話にならない」と、欧州先進国よりも一段下に見ているように思いますね。

保阪　2019年5月、トランプ大統領が国賓として日本に来た時に、宮中晩餐会でお礼のスピーチをしましたね。通例は「天皇陛下、皇后陛下、このたびはお招きいただき……」と挨拶するそうですが、トランプ大統領は「天皇陛下、皇后陛下、安倍首相、安倍首相夫人」と4人並べたと聞きました。天皇・皇后主催の宴でそんな挨拶をする人は、これまでいなかったそうです。アメリカ側の儀典係は当然、そういう外交の常識を知っているから安倍夫妻の名前を省いて原稿を作るはずですよ。でも、安倍夫妻の名前が出てきた。

なぜそんな常識外れなことが起こったのか。そもそも新しい天皇が迎える初めての国賓がアメリカの大統領というのも前例と違う。平成の最初の国賓は1989年10月、ジンバブエのロバート・ムガベ（1924〜2019年）大統領でした。あんまり大きな国じゃなくて、時間をおきながら大国を招いたんですね。それが、いきなりトランプ大統領というのは、いかにも「天皇の政治利用じゃないか」と言いたくなります。

丹羽　4月の来日が延期されましたが、二人目の国賓は習近平（1953年〜）国家主席。そう思われても仕方がない。

保阪　天皇の政治利用と言えば、天皇が国政について安倍首相の説明を受ける「内奏」の映像と写真も、宮内庁が2019年5月に即位後初めてということで即日公表しました。僕は皇室崇拝論者じゃないけれども、とんでもないことだと感じた。一連の安倍首相の動きは、権力維持を意図して、天皇との関係を政治的に利用しようとしているように思えて、正直なところ不愉快ですね。

丹羽　安倍首相もトランプ大統領と同じように言いたい放題、やりたい放題。アメリカからイージス・アショアとか、費用と効果がアンバランスの武器ばかり買わされているように見えます。沖縄のこともそうだけれども、国民のことを中心に考えてないんじゃないか。「バカにするな」などと、酷評も出ています。ＥＵとアメリカの貿易協議は農産品などをめぐって行き詰まっているけれども、ドイツとか大陸ヨーロッパの国のほうが日本よりも国民のことを考えているように思います。安倍首相は結局、在職期間の最長記録の更新ばかり気にしているんですかね。

保阪　アメリカの言うことは何でも聞く。親分と子分のような縦の線の関係になっていて、妙に服従している印象すら持ちます。

丹羽　中東海域への自衛隊派遣も形式はともかく、アメリカ追随に見えます。このままじゃ、安倍首相はトランプ大統領と同じように世界的には評価されないと思います。

保阪　安倍首相のような指導者は、アメリカ以外の国にとっても利用しやすいから便利かもしれませんが、国民にとっては困りものですよ。

天皇制の危うさについて考えておこう

丹羽　いま天皇の政治利用の話が出ました。今なら私の印象としてお話ししても良いと思いますが、僕は上皇陛下に2度お会いしています。1度目は大使として中国に赴く時、2度目は大使の役目を終えて帰国した時です。国際情勢について相当深く、広く勉強しておられる印象でした。私心など微塵もなく、常に国民と国のことを考えておられ、日本の平和が一歩でも二歩でも進むことを強く望まれているということが伝わってきて、とても感銘を受けました。確かに天皇の政治利用ということはあってはいけないと思います。ただ同時に、そういう危うさが常にある存在、あるいは制度だとも言えますね。

保阪　天皇制という制度について、いろいろ疑問点があるという思いが僕にもあります。だからこそ、天皇という存在をきちっと見ておかなければいけないと思う。計算高い政治家に利用される、政治が傀儡化されるという危険性をはらんでいるのは間違いないわけですから。私もお会いした折に、そうさせてはいけないと強く思いました。

さて、一口に天皇と言っても、じつはそこに「二重構造」があるんですね。どういうことかと言うと、明治天皇なら、明治天皇にかぶせられている天皇のイメージと睦仁という天皇の間に開きがある。大正天皇と嘉仁という天皇の間にも開きがある。昭和天皇と裕仁という天皇の間にも開きがあるわけです。つまり、明治・大正・昭和と元号で語られる天皇は、日本の政治家、軍指導者たちがつくった「かくあってほしい」という一つの天皇像なんです。けれども睦仁・嘉仁・裕仁というのは、個人としてみれば、それぞれまったく違うタイプの天皇です。その亀裂の中で、天皇は二重構造になっているわけですね。

ところが、平成に関してはそれがないんです。平成の「かくあってほしい」は、昭和天皇を「清算」し、新しい象徴天皇をつくるという天皇像です。明仁という天皇もそういう考えでいた。つまり、平成の天皇と明仁という天皇が一体化しているという点で、天皇が大きく変わって来たんだと思いますね。だから、令和の天皇に課せられている歴史的役割は何かと言った時には、令和の天皇と徳仁という天皇との間に、齟齬《そご》をきたさないかたちでかぶさっていくはずなんです。それはそれでいいんじゃないかと思いますね。

ただ天皇という制度は、左翼的・共産党的な言い方じゃないけれども、下手をするとかなり僕たちの精神的な内部まで入り込んでくるものになる。そこに政治が入り込もうとするし、そうあってはいけないから、その点はよく注意しなきゃいけないと思います。そして天皇という制度は、何かしていないとフェードアウトする危険性を常に抱えています。つまり、存在を誇示するかたちを何かで維持していかなければいけないわけです。天皇の問題は冷静に議論すべきだし、かつきちんとした理解を持たないと、いろんな意味で危険性を抱えていますね。

丹羽　イギリスの王室とは、やっぱり違います。象徴天皇制というのも、日本らしい曖昧模糊と言えるのかもしれません。

保阪　イギリスの新聞「エコノミスト」の取材を受けた時に、「王室と国民の間にはどういう了解があるのか」と取材者に聞いたんです。イギリスの憲法は成文法ではないので不思議だった。記者は「特に何もない。主権在民だから王室が存在するんだ」と答えました。「王室も主権在民だから自分たちが存在すると知っている。そういう存在が王室であると国民は知っている。そこに了解点がある」と。「時代に即しながら、王室の考え方も国民の考え方も変わっているんだ」とも言っていました。主権在民という了解が徹底すれば、日本のような危うさ、曖昧さもなくなるのかもしれませんね。いずれにしても、国民が天皇とどういう関係をつくるかというのは、その回路をつくる相互の努力が基本的には必要だと思います。

丹羽　象徴天皇として、日本の民主主義の中でどういう動きや役割をしていただくのかという問題でしょうね。

保阪　天皇が京都に帰って文化・伝統の守護者になるというのも一つの考えだと思います。文化・伝統は京都、政治・経済は東京と日本が二元化するわけですが、国賓が来日したら、その国賓は東京と京都に行くというかたちになれば、象徴の役割がより明確になるでしょう。

天皇を「批判」するということ

丹羽　上皇陛下もそうでしたが、前に言ったように令和の天皇陛下も「平和」ということを強く述べられています。天皇陛下は、上皇陛下が機会あるごとに日本全国のみならず、海外の戦場跡にも足を運ばれて、ずっとご高齢になっても慰霊の旅に出られるというご両親の姿を間近に見てこられたから、そうした思いがちゃんと継承されているのでしょう。

保阪　ただ将来、ぜんぜん違う天皇が出てくる可能性があるので、そうなったらやっぱり批判しないといけない。天皇批判っていうのは制度としての批判もあるけれども、天皇自身の処し方に対してもあるわけです。歴史の負の部分と重なり合う時は当然、批判しないといけないでしょうね。

丹羽　今日の言論状況、あるいは政治状況で、そういう批判がちゃんと出てくるのかどうか。僕は心配です。インテリジェンスを持っている知的エリートがもっと発言を強めていかないと。日本の国のためになる「真実の発言」を、国民は常に待っていると思います。

保阪　平成の天皇が2016年8月に生前譲位を国民に訴えたことで、安倍内閣が皇室典範に特例法を設ける形で令和の天皇に「御代替わり」しました。あの時、右の人たちが「天皇の越権的な発言じゃないか」と批判しましたね。政治的にはそうだと思います。

けれども、僕は「緊急避難」で仕方がないことだと思ったんです。

明治憲法と皇室典範が1889年（明治22年）2月11日にセットでできて以来、ずうっと一緒にやってきた。そして、戦争に敗けて新しい憲法ができる時に、皇室典範も変えるという動きがあって議論しています。1946年（昭和21年）4月から11月、「女性天皇もいいいんじゃないか」とか「生前譲位もいいんじゃないか」とか。でも、結局は変えないことになった。それは東京裁判をやっていたからで、皇室典範を変えると天皇の戦争責任を認めることになるということだったんですね。

ただ、いまの憲法と戦前の皇室典範の抱き合わせでいることの不自然さというのは、天皇自身にしかわからないんですよ。終身在位、男系男子という、その矛盾、苦しさ。平成の天皇にしかわからない以上、ご本人が言うことは聞かなければいけない。だから政治的にはおかしい発言ではあるけれども、緊急避難的にやむを得ないんじゃないかと思うわけです。

僕たちにとっての問題は、平成の天皇に対しては戦後の価値観にいるから共鳴するけれども、まったく価値観の違う天皇が出てきた時にどうするのか、ということなんです。

それはやっぱり危ないと思う。そういう時に天皇という存在にどういうふうに向き合うかというのは、まさに僕たちの問題です。

丹羽　若い人たちは、映画俳優を見ているのと同じような気持ちで見ているかもしれませんね。

保阪　天皇の問題を考える入り口として、僕らの世代は上皇を見ますが、50代の働き盛りはいまの天皇を見るだろうし、20代は秋篠宮悠仁を見るでしょうね。さまざまな見方があるのは、それはそれでしょうがないと思います。

これからの時代の「答案用紙」をどう書くか

丹羽　それにしても、勇気のある発言をする人がいませんね。たとえば「女性だっていいじゃないか」とかズバッと言う人が見当たらない。一般的には、「女性でも男性でもいいじゃないか」という時代になっているとは思いますが、一部の政治家や有識者だけではなかなか決められないでしょう。最後は国民の総意はどうかなど、自然科学のようにはスッキリ割り切れない結論になるにしても、それで果たして収まるのかどうか、それはわかりませんね。

保阪　天皇と権力者の関係、国民との関係というのは、歴史の中に、それぞれの時代に書かれた「答案用紙」が残されていると僕は思っています。それは僕たちの目の前に積まれていて、その答案を抜き出して見ると、たとえば南北朝の時は、天皇は権威の側にいて権力は武家政権でいいとしていたけれども、天皇が権力の争いに入ったら時代が疲弊して不幸な関係になった。だからいい答案用紙じゃないとわかるわけです。

あるいは江戸時代、270年の答案を取り出すと、代によって違うけれども、一応は権威と権力を分離させた中で、朝廷と徳川武家政権がある種の妥協したかたちをつくっていました。それはそれでいい答案用紙だと思うんですね。

最低なのは、昭和10年代の答案です。その時の権力者、軍事が天皇と国民の間に入り込んで、軍事の側の天皇論を国民に押し付けていたわけです。いわゆる神格化した天皇ですね。答案としては30点か40点、要するに赤点だと思う。

そして平成の天皇は、象徴天皇、人間天皇として、生前譲位を僕たちに問いかけたわけです。僕らは「それはいいんじゃないですか」というアンサーを返しました。それが僕らの時代の答案用紙になる。その答案はいつの時代かに必ず審判を受けます。だから令和の時代、たとえば女性天皇という問題に対しても、いい答案を書いておきたいなと思うわけです。

これは暴論かもしれないけれども、もし天皇がかつての昭和10年代のように「軍の言いなり」になったら、国民は「こんなことをやっていたらあなたの制度は潰れますよ」と言うべきです。「あの時に潰れなかったのは、かろうじて戦争に負けて、なんとかやりくりしたからです。同じことは二度ありませんよ」と。天皇が、たとえば平和を破壊する勢力に利用されないように、国民は監視し続けなければいけないと思います。もしそうなったら天皇制は自己崩壊する危険性があります。

朝鮮半島情勢と日本の安全保障は?

丹羽　平和ということで言うと、東アジアの安全保障についても話しておきましょう。トランプ大統領から「お前に全部任すから自分の力でやれ」と言われたら、アメリカに寄りすぎのいまの日本にできるでしょうか。韓国がある、北朝鮮がある、中国がある、ロシアがある。日本に限らず、どこか一国だけで東アジアの平和を維持することができるのか。そんなことは無理だと思います。

保阪　「戦後最悪」と言われる日韓関係でも、アメリカからの圧力があったからGSOMIA（軍事情報包括保護協定）も破棄されずに済んだ印象でした。

丹羽　日本と韓国の問題は、二国間で交渉している限りはうまくいかないでしょう。結局、中国が出てこないと解決できないと僕は思っているんです。というのは、歴史的に見て、朝鮮半島はずうっと中国の支配下にあったから。そういう構造だったから日清戦争も起こったわけですね。日本が中国と仲よくなったら、韓国は中国に従って日本と仲よくすると思う。韓国だけじゃなく北朝鮮もそうです。朝鮮半島というのは中国があって初めて成立するんです。

保阪　近年、アジアで韓国の「宮廷ドラマ」が流行っています。中国にもずいぶん入っているようですが、山東省ではそのテレビ放映が禁止になりました。僕が聞いたところでは、禁止の理由は「ドラマの前提が山東省のほうまで朝鮮の領土になっているから」ということでした。中国のほうはいまも従属国と思っている印象ですね。それに対して韓国と北朝鮮にも、いまだに中国を宗主国と見るような意識みたいなものがあるんでしょうか。

丹羽　あると思います。その一方で日本に対しては、日本が日露戦争に勝ったからと1905年に韓国統監府（1910年、朝鮮総督府に改編）を置いてから第二次大戦が終わるまで、「この野郎、自分たちを奴隷のように扱ってきて」という恨みが、ずうっと続いているように感じます。韓国と日本だけでやっていると、どうしてもその恨みが出てくる。でも、間に中国というものを入れると、韓国も北朝鮮も冷静になれると思います。

保阪　やっぱり中国にしてみたら、韓国よりも北朝鮮なんでしょうか。

丹羽　中国と北朝鮮は「もし一方が攻撃を受ければ、一方は必ず助ける」といったことが明記された「中朝同盟」（中朝友好協力相互援助条約）を結んでいて、20年ごとに自動更新されています。それに中国の北のほうに行ったら、地続きなのが北朝鮮なので「韓国って何？」という感じです。だから金正恩（1984年〜）は中国との関係において「韓国なんて目じゃない」と、我々から見れば傲慢に思っていられるんです。

保阪　丹羽さんは北朝鮮の要人と北京でお会いになったことはあるんですか。

丹羽　僕はありません。やっぱり日本も北朝鮮もお互いに敵視しています。だから簡単にはお付き合いはできません。

保阪　韓国と北朝鮮の統一というのは可能でしょうか。

丹羽　いまは貧富の差が大き過ぎて無理でしょう。北朝鮮のGDPは韓国の100に対して1ですから、いま一緒になると韓国がしんどいだけ。単純に言うと、一緒になれば北朝鮮は50増えて金持ちになるけれども、韓国は50減って貧乏になるわけです。そんなの韓国がオーケーするはずがない。1990年のドイツ統一の場合は西ドイツが100で東ドイツが40くらいだと言われました。まあ、それくらいの差になったら一緒になれるかもしれない。そのためには、韓国だけじゃ無理だからみんなで経済支援をしなきゃいけないのですが、「金王朝」のままでは誰も支援しないでしょう。それにドイツにしても、いまだに東側と西側の格差は残っていますよね。頑張っているけれども、いまだに東側は、西側に比べて賃金が15パーセントも低いと言いますから。統一というのは、そう簡単な話ではありません。

保阪　ドイツの人と話をすると、「ネオナチの運動は旧東ドイツの地域で起こっているんだ」と言い訳がましく説明します。「戦後、西では反ナチの教育を徹底的にやったけれども、東では、ナチスは西の方の出来事で、東はナチスの被害者だ。それと戦ってできた国だと教えられていた」と。だから、「免疫ができていなかった」と言うんですね。

強硬論がまかり通る世界

丹羽 やっぱり人間というのは怖いですよ。もう戦後75年も経っているのに、思想的なものは代々引き継がれていく。その意味でも韓国と北朝鮮の統一は簡単じゃないでしょう。経済ばかりではなく、教育はもちろん、毎日の生活、衣食住とか、全部違う。数世代にわたって伝統として定着している事柄を変えることは極めて難しいんです。

保阪 金王朝がつぶれることは考えにくい。内部から軍が立ち上がるとか、民衆が反乱を起こすとか、権力の闘争とか、現実的にはありそうもないですが、たとえそうなったとしても、丹羽さんがいま指摘したような大きな問題が残りますね。

丹羽 いずれにしても、外交・安全保障というのはお互いに共通することだけでなく、違っていることを認めて受け入れることが基本です。ところが困ったことに、敵意や戦意をあおるのは、平和友好を説くよりもずっと簡単で、国民の感情的な支持を得やすいんです。いま日本では、北朝鮮や韓国、中国に対して、強硬な言説のほうが支持を得やすくなっています。どこの国の歴史を見ても一緒です。もちろん現在もそうで、外国と対立すると、国民は強硬論を好む傾向にあって、慎重論が弱腰とされます。そして、戦争になれば強硬論以外は排除されるんです。第二次大戦に至る言論がまさにそうで、僕には、日本だけじゃなく世界のあちこちで、いままた同じ過ちが繰り返されようとしているように見える。よほど気をつけないといけない状況だと思います。

第5章　日本と中国の関係を考える

中国は、なぜ「悪印象」なのか

保阪　日本人の中国に対する印象がよくなりません。2018年の「日中共同世論調査」（言論NPO〈工藤泰志代表〉・中国国際出版集団）によれば、日本人の86・3パーセントが中国に対して「良くない」印象を持っている。これに対して、中国人の42・2パーセントは日本に対して「良い」印象を持っています。

丹羽　中国人の日本に対する好感度は上昇傾向にあります。一方、日本人の中国に対する好感度はほとんど変わらず、非常に低いままです。僕は、日本と中国ががっぷり一緒になるというのは難しいと思っています。政治体制はもちろん、あれだけ大きな国だし文化も違う。文化の違いを認めながら戦争をしない。まず、それでやっていくことでしょう。経済的には日中FTA（自由貿易協定）などを結んでいく。日本と同じで、中国は自給自足でやっていける国じゃないから。国内の需要はものすごく大きいけれども、それなりのモノを外から買わないといけない。そんなことは起こり得ないが、「売らないよ」と言われたら中国はつぶれてしまいます。どことも仲良くする方向に中国も行かざるを得ないでしょう。
文化の違いでわかりやすいのは夫婦ゲンカです。中国人はメンツを非常に大事にするというか、自意識が強い。すぐに表に出てきて、いかに自分が正しいか、夫婦お互いに大騒ぎしてみんなの前でやり合います。一方、日本人は「夫婦ゲンカは犬も食わない」というので、静かにやり合いますよね。「みっともない、隣に聞こえるじゃないか」と。中国人は逆で、隣に聞かせたいわけです。「ぎゃーっ！」とすぐ騒ぐ。相手が言うことをきかないともっと騒いで「火をつけるぞ」なんて言い出す。「それが嫌だったら私の言うことをきけ」というわけです。恋愛はいいかもしれないけれども、結婚すると大変だと思います。

保阪　「嫌中」ということで言うと、歴史的には日清戦争の影響が大きいですね。

丹羽　そう思います。日本は日清戦争でアジアの覇権を握ったと勘違いしたし、当時の中国も勘違いさせるような力しかなかったんです。日露戦争でもそうでした。そして、日本は満州国を設立した。やがて満州国はつぶれますが、中国にとって漢民族ではなく満州国の清が完全につぶれたことを意味しているんです。だからこのことで、それほど

「嫌日」にならないんです。

保阪　日清戦争に勝った日本は近代化に成功しているということで、中国からたくさんの留学生が日本にやって来ました。当時の留学生はみんな弁髪で、それを子どもたちが「チャンコロ、チャンコロ」と盛んにはやし立てるんですね。つまり、日本人は日清戦争後に中国をバカにするようになったんです。中国に対する蔑視感は、日清戦争に勝ったことによって庶民レベルにまで広がった。その頃から日本は夜郎自大、身のほど知らずになったのでしょうね。

丹羽　我々の子どもの頃も、「シナシナ、チャンコロ」なんていう縄跳び歌で遊んでいました。そうした感覚がいまだに受け継がれているのでしょう。大人が「中国人は汚い、嘘つきだ」とか言っていたら、子どもたちも中国人を尊敬するはずがありません。中国に対して日本人は傲慢なんです。たいして違いはないのにね。

保阪　傲岸さが近代化の中でつくられてきた。韓国に対してもそうだと思いますが、1945年（昭和20年）8月15日に戦争には敗けたけれども、意識としては変に残って、それがいまも社会の中にあるのでしょう。そのせいで、「中国をやっつけろ」というような威勢のいい声が今日の日本でも出てきてしまう。

丹羽　中国は日本と戦争する気はまったくないですよ。中国の要人が僕に言うんです。「日本を取って何になるんですか。資源もないし、日本人は中国語もしゃべらないし、意味がない」と。確かに何のプラスもないと思う。「だけど、あなた方はあんな小さな尖閣諸島でごちゃごちゃ言っている。だから脅威に感じるんだ」と反論すると、「いや、台湾が近いし、国民感情からしたら簡単にはいかないが、本音を言ったらあの島が欲しいわけじゃない。太平洋に出るとか、そういうことを認めてくれたらあの島だっていらない」なんて答えるんです。日本だってあんなに広い中国人ばかりの国はいらないんです。だからそういう意味では基本的に中国と日本の戦争はないと思う。ただし、アメリカやロシア、朝鮮半島との関係で、戦争に近づくということはあるかもしれませんね。

中国の「困った」文化

丹羽　中国の田舎のトイレを見ると、「とてもこんな連中とまともにつき合えない」と、日本人が思うのも仕方がないかなと感じるんです。僕が大使になって田舎を歩いた時には、ずいぶんましになったと思いましたが、まだ汚い。昔は仕切りもないし、臭いし、大便が山のように放置されていたりして、きれいなのはホテルだけ。中国を訪れた日本人はそういう経験を大なり小なりしているでしょう。

保阪　僕もハルビンから長春まで車で移動しながら、途中の農村をずいぶん見たことがあるんですが、こんなところまで日本軍が来るなんてどうかしているなと思ったのと同時に、この人たちの生活のたくましさに驚きましたね。田舎だけじゃない。8年くらい前に、天安門のところでオランダ人の女性グループに「トイレを知らないか」と聞かれたことがありました。僕は中国人と一緒にいて、近くの公衆トイレを指して「ここしかない」と答えたら、「ここは絶対に嫌だ、汚くて私たちは入れない」と。「それじゃ、もらすしかないよ」と小声で言ったのですが、天安門の近くでさえ汚かったですよ。

丹羽　2008年の北京オリンピックを境に一部では見違えるようにきれいになったけれども、まだまだですね。

保阪　蔣介石（1887~1975年）が1934年に「新生活運動」の中で「清潔」をスローガンの一つにするなど、国家的に何回か改善しようとしていますが、結局うまくいかない。

丹羽　習近平（1953年〜）も「トイレ革命」を重要課題にしていますが、彼自身、そういう汚いところで用をたして育ってきたわけでしょう。いまは北京で素晴らしい生活をしているけれども、基本的には文化的なことだからそれほど本気になれないのかもしれません。

保阪　丹羽さんの先々代の中国大使（2001〜2006年）の阿南惟茂《あなみこれしげ》（1941年〜）さんと少し話したことがあります。彼のお父さんは終戦時に陸軍大臣を務めていた阿南惟幾《これちか》（1887〜1945年）ですね。だから「中国で不愉快な思いをしたんですか」と聞いてみたんです。そうしたら「そういうことには答えたくない」と。ちょっと変わった人だなと感じました。

丹羽　僕は大使になると決まった時、阿南さんのところに挨拶に行ったんです。彼は「丹羽さん、気をつけなさい。「中国は地方の数字を合計すると、GDPが10〜20パーセントくらい高くなる。みんな早く偉くなろうと思って嵩《かさ》上げしている。それが通っている国ですから」と言うんです。そのまま信用しちゃいかんというわけだね。

商社時代に、中国の「北京ビール」という有名ブランドをアサヒビールさんと一緒に買った経験があるので、そう言われて驚きもしませんでしたが。現地に行った人が経理を見たら赤字が出ていない。立派なものだと思ってよく見たら、作ったモノが100パーセント、全部売上についているんです。「おい、キャッシュフローは？」と聞いたら「ゼロです」と当たり前のように答える。「売上は？」「売上はそこに全部あります」と。カネは入っていないのに、作ったら作っただけ全部売上につけていた。「バカもの！」と怒鳴ったけれども、要するに生産量で評価しているわけだ。自動車でも全部そうだったんですよ。いまは、それではやっていけないから相当修正したと思いますが、一気に資本主義にはなじめないですよね。

いま僕は、中国の経営者たちに「こういう姿勢で企業を経営しないといけない」といったことを話していますが、文化が違うのでどこまで彼らの身になるか、正直わかりません。先祖代々身についている物事の考え方を変えるというのは難しいですよ。ただ、みんな真面目に勉強しています。だから、経済的にも時間をかけて、お互いに文化を理解しながらやっていくしかない。それは中国に限りません。もちろん、政治にしてもビジネスにしても最初から相手を100パーセント信用して事に当たるなんて非常識であり、むしろ馬鹿げていますがね。

「五族共和」を唱えた孫文との交流

丹羽　いまの中華人民共和国ができたのが1949年です。その前、1912年の中華民国から数えても近代国家としての歴史は短いし、資本主義の歴史となるともっと短いわけです。そもそもで言えば、中国は異民族の坩堝《るつぼ》みたいなものです。ずうっと漢民族が統治してきたみたいな顔をしているけれども、元（1271〜1368年）の時代は蒙古族、清（1636〜1912年）の時代は満州族で、隋（581〜618年）や唐（618〜907年）の時代も鮮卑系（モンゴル系）ではないかと言われています。一応、秦の始皇帝（前259〜前210年）によって初めて漢民族の統一国家ができたとされていますが、それにも異説があったりするんです。その意味では、漢民族の歴史がそのまま中国の歴史とはならないでしょう。中国の中にいるそれぞれの民族にそれぞれの歴史があるはずなんです。

だから1911年に辛亥革命を成した孫文（1866〜1925年）は「五族共和」を唱えたわけです。これまでのように満州族だけが統治するのではなく、漢族・満州族・蒙古族・ウイグル族（新疆のトルコ系民族）・チベット族という五つの民族がみんなで協調して中国を立て直して行こうと大真面目に訴えた。ところが程なくして「大漢族主義」になって、漢族への同化を推し進めるんです。その結果、いまや人口の90パーセント超が漢民族になっています。

保阪　日本が満州国をつくる時に掲げた「五族協和」は、その孫文の「五族共和」に倣《なら》ったものですね。日本人・漢人・朝鮮人・満洲人・蒙古人で一緒にやって行こうと。日本の場合は、そのスローガンを理想という人もいたし、単なる植民地主義に過ぎないという人もいた。石原莞爾《かんじ》（1889〜1949年。最終階級は陸軍中将）の「東亜連盟協会」なんかは右派的な国家社会主義だから、またちょっと違う考え方でした。もちろん中国から見たら、日本の侵略という枠組みで全部捉えるわけですが。

丹羽　ただ日本にしても、自分たちの面積の25倍もある中国全土を占領しようという考えはなかったでしょう。人口は当時でも7倍くらいで、少数民族が55もある。それを全部自分のものにしようなんて話にもならない。
だから石橋湛山は「小日本主義」を唱えたわけです。ところが、せめて満州国だけで収めておけばいいのに、「えいやー」と侵略を拡大していったからおかしなことになったんです。
保阪　中国の人と話していると、孫文の捉え方が、その一生のある時期まで国民党、ここから先は共産党というのがはっきり分かれていて面白いと思いましたね。1910年代半ばから、孫文は「連ソ容共」というスローガンを掲げますが、それ以降は共産党が評価するわけです。
丹羽　孫文は日本にのべ10年ほど亡命していたから、彼を支援して立派な革命家に育てたのは日本人と言ってもいいでしょう。
保阪　宮崎滔天《とうてん》（1871～1922年）のように支援して身上を全部潰した人もいるし、山田良政（1868～1900年）とか革命運動に直接加わって死んだ人もずいぶんいますね。
丹羽　中国共産党にも周恩来とか、日本に留学していた人が結構います。

保阪　中国はどうして近代化に遅れるかたちになったのでしょうか。アヘン戦争（1840～1842年）でイギリスにいいようにあしらわれたのは、清朝帝政が腐敗して国家統一の力がなかったからでしょうが、それにしても帝国主義先進国の策略であっけなく瓦解していきますね。

丹羽　清は満州族だから、中国全土のどこまで支配できていたか大いに疑問です。つまり、多民族であることが中国の近代化を遅らせた大きな要因ではないでしょうか。イギリスは政治体制がちゃんとできていないことをいいことに、清を騙しながら植民地を増やして、とにかくアヘンと綿花を中心とする貿易でお金を儲けていった。そして、どんどん清が弱体化する中で、日本も帝国主義的に日清戦争をやり日露戦争をやり、辛亥革命後の五族共和が頓挫する中で、満州事変をやって清王朝を復活させたわけですね。

特別な地「アカシヤの大連」

保阪　中国に行った時に、王効賢（1930年～）さんという田中角栄首相と周恩来首相の通訳を担当された中年の女性と話をしたことがあります。彼女はその後、中日友好協会が日本に来た時、副会長だったはずですが、ものすごくきれいな日本語を使う。後で一緒にいた中国人に聞いたら、「あの人は華僑の娘で、神戸で生まれて神戸で育った」ということでした。その時、彼女はこんなことを教えてくれたんです。「旧満州を見るのはいいけれども、注意をあえて言わせてください。日本の侵略に心を痛めている人がずいぶんいます。だから、何かパーティーがあって挨拶する時には、必ず最初にその歴史についてちょっと触れてください」と。「なるほどな」と思って、それ以降は話すようにしました。

丹羽　いつ頃の話ですか。

保阪　もう20年ほど前、1990年代の終わりです。僕はその前に官房長官だった自民党の後藤田正晴（1914〜2005年）の評伝を出版していたんです。後藤田さんが日中友好会館の会長をやっている頃でした。中国側が彼に「中国人はあなたのことをよく知らないから、あなたについての本を出したい」と相談してきた。その時に後藤田さんが「保阪というのが書いた本がいい」と言ったら、新華社出版部が翻訳して中国で出版したんですね。そうしたら中国大使館から「中国に来てくれ」と。「何日かけてもいいから、いくら見てもいいから」ということだったので、「じゃあ、10日間だけ旧満州を見させてください」とお願いして、編集者と一緒に5人くらいで行くことになったんです。王効賢さんとは、その時に最初に北京で会ったんです。

大連に行った時には、市長と副市長が出てきてパーティーを開いてくれました。僕が冒頭に挨拶して日本の侵略にちょっと触れて、あとは雑談。その時に市長が「この中に大学時代に近代経済学、ケインズ経済学をやった人はいますか」と聞いてきたんです。たまたま慶應で近経を学んだ編集者がいたから、「彼がそうですよ」と言うと、「話したいけど、いいですか」、「どうぞ、どうぞ」と。あの頃からもう大連は特別でしたね。大連のグループは背広の着方から話し方まで、全部アメリカ仕込みだと思いました。彼らは後々、北京の中央に上がるそうで、「ここはすごいんだなあ」と感心しました。モデル地域で伸びたところですよね。

丹羽　満州国時代の含み資産というのもかなりあったんです。大連では日本人が住んでいた一軒家を4区画くらいにわけて4家族が住むとか、いろいろ活用していました。いまも日本人がたくさん駐在していて、非常に親日的ですよ。日本人にはある種の郷愁もあります。日本の支配下の大連で生まれ育った詩人・作家、清岡卓行（1922〜2006年）の小説『アカシヤの大連』の世界だな。

保阪　初めに紹介したデータからもわかるように、全体として中国人は、個人的につき合うぶんには日本人に対して悪い感情は持っていないですね。

丹羽　大連の他にも習近平がいた福建省には、台湾の人が大勢、商売グループで駐在しています。日本びいきの人が多いですよ。僕は中国のあちこちに行っていますが、安心できる場所ばかり訪問しているせいかウイグルとか少数民族も概して親日的ですね。

14億人の国で資本主義の実験中

保阪　中国大使をおやりになっていた時、中国の要人と話していて、哲学や思想、歴史観といった面で、「この人と話が通じるなあ」と思える方はいましたか。

丹羽　個人的な感じですが、この男は大したもんだと思った人間が一人います。いまの中国で上から何番目かどうかは言えませんが。まあ、ちょっと手を振っただけで世界中が風邪をひくような男です。大使になって初めて会った時に、二人だけで1時間半も話したんです。そんなことは例外中の例外で、普通は30分なんです。彼の秘書が「終わりです」と言ったけれども話し続けた。

何が一番すごいかと言うと、「あなた方は社会主義的資本主義で、すっかり偉くなったと思っているかもしれないけれど、冗談じゃない。まだまだ日本から学ぶべきことが多いだろう。日本のほうが資本主義の先輩だ」と、僕はそんなことを言ったわけです。それに対して「日本から学ぶ点はあるかもしれないが、日本は教科書にならないし、アメリカも教科書にならない。我々は世界に類のない資本主義の偉大なる実験をやらざるを得ないんです」と答えた。「14億人の資本主義国と1億人、3億人の資本主義国の経営はまったく違う」と。その通りだなと思いました。

保阪　ちゃんと実験していけるでしょうか。新しい試みをする指導者は古い人たちの反発を受けて地位を追われる。それが歴史の習いという面があると思いますが。

丹羽　人間の本性で言うとそうでしょう。中国では8月いっぱいOBたちと打ち合わせをするんですね。国家主席の習近平だって先輩から「おいお前、しっかりせんか」と言われるわけです。2019年も8月以降に、中国の国内も台湾も香港も規制が強化された印象です。やっぱり全員が習近平に賛成しているということはあり得ない。人間の本性として「てめえ、やりやがったな」という反発が残っています。習近平は周りを自分の部下で固めて、前衛主義でやっているけれども、共産党員は2018年末で9000万人を突破した程多くなっているから、まだ一枚岩とは言えない部分もあるわけです。

ただ、国有企業を社会主義的資本主義にするんだ、その企業の中核が共産党員なんだという方向で、そんなことが可能かどうかわからないけれども、動き始めているのは確かでしょう。

保阪　僕も中国で何回か、中国社会科学院日本研究所の関係者やその周辺の人と話す機会がありました。彼らの一人が「北京に来たら言っていいことと、言ってもいいけどやったら悪いこと、やってもいいけど言ったら悪いことがある。それ、わかるだろうな」と釘をさすんです。「だいたいわかる。たとえば、封建制から資本制に進んで共産制に行くと僕らは習ったけれども、あなたの国は封建制から共産制に進んで資本制に行くんですね。これを言ったらいけないんでしょ？」なんて言うと、苦笑いを浮かべていました(笑)。

確かに中国は、アメリカのような資本主義とは違う資本主義の実験をやっていると思います。なぜ彼らがそれをやっているのかと言えば、旧来の共産主義のままでは我々は生きていけない、中国は存続し得ないと本能的にわかっているからでしょう。ある時、このままでは生き残れないということを理解したから鄧小平（1904〜1997年）が出てきて、変えていくということになったわけですね。

監視・管理社会の中で民主化は可能か？

丹羽　ただ、彼らの一番の欠点というのは、国民が主だということを本心からわかっていないことです。国民が変わらないでどうして国が変わるんですか。自分たちトップだけがいくら変わっても、国民みんなが変わらなければ国全体は変わりません。中国のほとんどの国民は、まだそこまで知識がないし現場体験などの勉強も足りません。中間層が育っていると言っても、彼らは金だけの世界に生きています。だから僕は、教育が一番の基本だと思うんです。

中国はアメリカに留学生をどんどん行かせていたけれども、トランプ大統領は「貿易戦争だ」と、留学生の抑制に乗り出した。中国にはやっぱり大打撃です。ただ、それで中国が内にこもってしまったら絶対によくならない。だから今度はヨーロッパのほうに方針を転換するでしょう。日本に来たいところもあるだろうけれども、泥水かもしれないからね。ヨーロッパに嫌われたら中国はダメになるでしょう。「一帯一路」を見ればわかるように、彼らは教育の面でも、今後はヨーロッパに向うのではないでしょうか。

保阪　他国から学ぶことを強調するわけではないですが、中国がアメリカに学び、ヨーロッパに学ぶように、日本が中国から学ぶことも数多くあるわけですね。

丹羽　いま中国は、監視カメラと顔認証がものすごい。つまり、「公」と「個」の管理です。ジョージ・オーウェル（1903～1950年）の小説『1984年』の世界、ああいう監視社会、管理社会にもうなっているんです。誰が何をやったか全部わかる。怖いと言えば怖いけれども、考えてみたら日本もそうなっているでしょう。街のあちこちに監視カメラがあって、膨大なデータが蓄積されています。

中国はそんな監視・管理社会という公の組織の中でどうやって国民を主にしていくのか。せめて大正デモクラシーの吉野作造（1878～1933年）の「民本主義」、天皇を中心にした民主化と同じようなこと、いわば民共主義、共産党を中心にした民主化ができるかどうか。僕に言わせれば難しいと思う。国民を力で抑えつける、あるいは監視カメラで抑えつけるというのは根本的に間違っています。やっぱり国民を中心にした社会にしないと国はよくならない。中国はそういうところを改めたほうがいいと思うが、まだその時期ではない。しかし問題点として自覚しておくべきです。今度会ったら言ってやろうと思っています。

保阪　中国はもう一回くらい改革というか、何か大きなことが起こりそうな気がします。その意味では、孫文の辛亥革命に協力した宮崎滔天とか山田良政とか、政治家で言えば犬養毅《いぬかいつよし》（1855～1932年）とか秋山定輔《ていすけ》（1868～1950年）とか、そういう日本人を見直す必要があるかもしれませんね。

丹羽　ただし、中国の民主化というのは非常にリスクが高い。14億人という人口、日本の25倍の面積、多民族国家、そういうことを忘れちゃいけないでしょう。

大格差社会──「男は泥棒、女は売春婦」

保阪　中国共産党に近い人物と長春で話したことがあるんです。ヤマトホテルの前に人がいっぱい集まっていたので、「あの光景はなんですか」と聞くと、「職がないので、党の委員会にきて職を紹介しろと言っているんですよ」という答えでした。「党の委員会って就職相談所みたいですね」と軽口を言ったら、真顔で「冗談じゃないですよ。あの連中は自分で努力しないからああいうふうになるんです」と返された。「最終的にどうなるんですか」と聞いたら、笑いながら「男は泥棒、女は売春婦というケースが多いですね」と。すごいことを言うもんだなと、半ば感心しました。

丹羽 彼らのジョークはいつも金と女（笑）。

保阪 努力しないから、勉強しないからダメなんだと、さらっと一言で切り捨てるところがすごいですね。

丹羽 当たり前のことですが、同じ中国人でも、ものすごく優秀な人もいれば、そうじゃない人もいる。ただ、貧しい人たちはその子どもの代になってもずうっと貧しく、奴隷のような生活から抜け出せないというのが大きな問題なんです。日本では、正社員と非正規社員の格差が言われていますが、比べものにならない。中国は、教育がものすごく遅れているんです。ずば抜けた教育を受けている一部の人たちと、教育を受けていない大多数という中間層の欠如。その差が非常に大きい。その点では、日本のほうが格段に優れていると思います。

中国は連邦制国家へ進むべきだろう

保阪　中国の学者が日本に来た時に僕に話したことなんですが。その人は党員ではなくて、どちらかと言うと共産党批判派のリベラルだけれども、「私たちの国で、共産党抜きは考えにくい」と言うんです。「どうしてですか」と聞いたら、「1920年代、30年代を見ればわかるように、私たちの国では、権力の支配がゆるむと必ず国を売る人物が出てくる。党が支配することによって、それを防ぐことができるんです」と。1940年（昭和15年）に南京で親日の国民政府を樹立した汪兆銘（1883〜1944年）とか、何人か名前を挙げていましたね。「国を売る人が出ると、私たちの国は内戦というかたちになるんです。だから私は反対だけれども、党の支配が、ある意味では必要なんです」と言っていました。

丹羽　14億の民を一人、二人で支配する、統治するというのは不可能に近いです。過去の人間の歴史を見てもない。だから、私は以前から中国の人に「14億人の資本主義国なんてあり得ません」と言っているんです。そして、「あなた方はユナイテッド・ステイツ・オブ・チャイナ、USCを目指すべきです」とね。ユナイテッド・ステイツ・オブ・アメリカ、USAと同じように、六つぐらいのブロックに分けた「合衆国」になったらいいんです。各地域の経済力が近づいてきたら、自治権を持った2億〜3億人の州をつくることができると思う。そうなれば中国は、もっと国際的な舞台で通用するようになるでしょう。そういう姿が最終的に中国の望むところじゃないかと僕は思っているんです。

保阪　連邦制国家ということですね。

丹羽　アメリカと一緒で、州ごとに自治権を渡して、そのホールディングカンパニーを北京に置く。いまで言えば、習近平国家主席はホールディングカンパニーの会長に、李克強（1955年〜）首相は社長になる。そういうふうに権限を分担、統合していく必要があると思いますよ。

保阪　丹羽さんの提案に対して中国側の反応はどうですか。

丹羽　貧富の差がものすごくあって、縮まっていないから非常に難しいんです。少数民族の問題もありますしね。全部で55民族、1億3000万人くらいいる。人口の多いのは約1900万人のチワン族とか1000万人以上のウイグル族、回族、満族とか。ウズベク族など、1万人以下の七つの民族もあって、一番少ないのがタタール族で3500人くらいです。しかも、大部分の少数民族は一カ所に集まっているわけではなくて、ここに10万人、そっちに1万人、あっちに500人と広く分散している。そういう人たちをどの州に入れるのか、あるいは別に独立させるのか、それほど簡単な話ではないでしょう。

保阪　雲南省とか、西南部のほうはかなり遅れていますね。

丹羽　あの辺は広東省とか四川省と一緒にならないといけないと思います。貧しい地域ですから。いずれにしても、国際的な価値観を中国も導入するようにしないといけない。いまのように力任せに国民を抑えつけるとか、外交でも経済活動でも「オレがオレが」とやっていくわけにはいかないですよ。だから時間はかかるけれども、2050年までにはそういう方向に行くんじゃないかと僕は見ているんです。

第6章　2020年からの日本と日本人

コップの中の水は変わっているか？

丹羽　僕は「十年日記」というものをずうっとつけているんです。そうすると、10年前の今日、5年前の今日、1年前の今日、何をしていたかがわかる。50～60年前のものを見返してみると、大して代わり映えのしない生活を繰り返しているわけです。人間は変わらない動物だと言いますが、本当にそうだと実感します。

最初を「コップ1」と呼びましょうか。さて、コップ2はアメリカ駐在時代です。この時期の日記を見ても、日本時代とは違うけれど日々の過ごし方は同じ。ニューヨークに住んでいるといっても大きな変化はないものです。

日本に戻ってきてコップ3の十年日記が始まります。これも毎年、代わり映えしない生活です。コップ4で社長になるけれども、やっていることはそれほど変わらない。コップ5で中国大使になったけれども、やはり毎年で見ると代わり映えしないんです。

ところが、コップ1～コップ5、違うコップを比べてみると自分が変わっていく様子がよくわかるんです。10年ごとに、コップの中の水が違うのか、どんどんフレキシビリティー（柔軟性）が大きくなっている。日本しか知らないコップ1、アメリカを知ったコップ2、アメリカの経験を踏まえた上で再び日本を知るコップ3、そして、中国のコップ5になると、非常にグローバル化していて、いわば自分がいろんなコップの水、つまり違う文化に接しているのがわかります。

人間は変わらない動物と言いましたが、要するに条件があるわけです。同じコップの中の同じ水では何も変わらない。けれども、違う水（文化や習慣）に入ることにより、人間は変わっていくんです。

保阪　新しい水のコップに入るのに一番いいのは、やはり海外に出るということでしょうね。

丹羽　日本の中にいたら同じ水に入ることしかできないでしょう。だから、若い人から「これからの時代、どうしたら幸せになれるか教えてください」なんて聞かれた時には、何も難しいことは言わない。「海外に出なさい。同じコップの水の中にいたら人間は変わらないよ」と答えるようにしているんです。それで「自分で答えを見つけなさい」と。日本の中だけで一生懸命にやっていても、多少は偉くなったり金持ちになったりするかもしれないけれども、それが幸せかどうか、一つのコップの価値観でしか測っていないのだから、わからないはずです。だから、まず自分が生きてきた日本が国際的にどういう位置にあるのか、海外という別のコップの価値観からも日本を眺めて、柔軟に自分の頭で考えてほしいと思うんです。

保阪　いまの若者たちは「内向き」になっていると言われていますが、文字通り、海外にもあまり行きたがらないそうです。

丹羽　大学生は強制的に海外に出したらいいと思います。お金がないと言うなら飛行機代も滞在費も授業料も国が出す。全員一定の試験をやって、国費留学生として3カ月でもいいから海外のコップの水に入ってこい。どうせ同じコップの水の中に入っていれば新しい改革をやらないんだから、海外留学にお金を使ったほうがよほど日本にとって有益だと思います。それが、これまで繰り返し述べてきた「曖昧模糊とした日本」を変える最も効果的な方法ではないでしょうか。

国が変わるには、人間が変わるしかない

保阪　海外に行って新しい水を浴びるというのは、まったく僕も賛成です。ただ、海外に行くことができない人も大勢いる。そういう人たちにチャンスを与えるというのが丹羽さんのご提案ですが、一方で、日本に居ながらにして新しい水を入れていくということも可能だと思うのですが、この点はどうでしょうか。

丹羽　ユナイテッド・ステイツ・オブ・アメリカなら、一つの国の中にいろんなコップがあるから違う水に入ることができます。さまざまな人種、民族的ルーツを持っている人たちが入り混じっています。先住民の歴史などもある。先に紹介したように中国にもそういう面がある。ヨーロッパもそうでしょう。日本の場合は、やっぱり違います。単一民族とは言わないけれども、一応大多数が文化にしても昔から同じような意識のもとで、同じようなコップの水の中で生活しているわけです。そういう国で新しい水を浴びるというのはなかなか難しい。でも、個人としては読書、いろんな本を読むことによって、コップの中の新しい水に知識としては触れることができます。ただ、若い人に本を読めと言っても、最近は読まないから。

保阪　本屋さんの息子としては困りますね（笑）。結局、僕たちは阿吽《あうん》の呼吸とかでコミュニケーションをとるのが日本的だと、そういうところに留まっているのでしょう。

丹羽　だから余計に同じことを繰り返すんです。同じ過ちを繰り返さない国に変わるためには、そこにいる人間が変わらないといけない。国だけが変わるなんてあり得ない。人間が変わるしかないんです。だから徹底的に若者を中心に、違うコップの水に入り、曖昧模糊を許さない人間を育てていくしかないんです。

保阪　長い間、同じコップの中に同じ水が入ったままだったら、水だって腐ります。

丹羽　もうすでに濁っているじゃないですか。同じコップの中にいるから悪臭に気づかないだけでね。別のコップの人が嗅いだら「何だ、この濁った水は！」となるんです。ドイツから帰ってきた僕の友人が開口一番、「丹羽さん、日本はおかしいよ」と言っていました。「日本人は知らないうちに、すっかり無気力になった」と。僕が言う沈黙の罠に彼もすぐ気づいたんだな。まあ、「ドイツも日本と同じようなもんだろう」と言っておきましたが。

古い水に浸かっていたら歴史は繰り返す

丹羽　同じコップの中の水でやっている限り、人間は同じことを繰り返します。だから安倍政権下で起きた数々の不正や不祥事だって、いくら「真摯に対処いたします」というような美辞麗句を並べたところで何度も繰り返すわけです。戦争も同じです。

保阪　日本の「ワンチーム」の危うさについて、丹羽さんは繰り返し言及していましたが、いまのコップの水の比喩と同じことですね。その意味では、明治からの大日本帝国憲法で戦争に敗けて、戦後の日本は日本国憲法、新しいコップでやってきたつもりでいるけれども、じつは同じコップの中でやっているということになるのかもしれない。

丹羽　歴史的に言うと、明治維新はもちろん、日清戦争以降に新しいコップになったと見る人もいるでしょう。とにかく僕が言いたいのは、海外に行ったり読書をしたりしていろいろ違うコップの水を浴びて、客観的に物事が見られるような非常にフレキシビリティーの高い人間にならないと、歴史にしても政治や経済の問題にしても、日本の真実の姿というものは見えてこないぞ、ということなんです。日本でも最近、ようやく言われるようになった「リベラルアーツ」です。そういう教養を持った人間にならないと、客観的な判断や自分の意見がなかなか出てこない。そういう人間がもっともっと増えないと日本は変わらない。ずうっと曖昧模糊としたワンチームのままだと思うんですね。

保阪　ドイツの詩人ヨハン・ゲーテ（1749～1832年）は「歴史は時々、書き換えられなければならない。なぜならば、新しい事実が発見されたからではなく、新しい見方がでてくるから」と言ったそうです。いま日本人は、最新のコップの中で物事を見ているつもりでいるけれども、じつは前の時代のコップの中で見ているのかもしれない。それだと客観性がないのではないか。歴史で言えば、それをきちんと見る素養がないのではないか。まずは、そこから脱する必要があるということですね。

丹羽　そうだと思います。新しい水に入り、「本当なのか？」と疑って、ちゃんと自分の頭で考えることです。古い水の中に浸かったまま、しかも知性ではなく感情で判断するから、無茶苦茶な歴史修正主義やヘイトスピーチなんかが出てくるんです。初めに紹介した僕の十年日記のように、同じコップの中の水に入っていたら、人間は大して変われないんです。すぐに濁った水に慣れてしまう。だからこそ、自ら意識的に海外に出て新しいコップの水に入るし、いろんな本も読むんです。そうすることで初めて日本を、借り物ではない自分自身の柔軟な目で見ることができると思います。

保阪　その時、伝統というものはどういう意味を持つのでしょうか。伝統も変えるべきものと考えますか。

丹羽　伝統の価値は「繰り返し」だと思います。歴史は繰り返すと言いますが、何も悪い意味ばかりじゃない。いいものは当然、保守する。変える必要はないでしょう。たとえば歴史の見方にしても、論理的にきちっとアルゴリズム（算法）というか、筋道が通っているなら、わざわざ見方を変える必要はないと思います。そのことがわかっていないのが反動的な歴史修正主義です。

保阪　近代日本は明治からですが、たとえば幕末維新の西郷隆盛とか、「尊敬する人物」を挙げるとしたら誰になりますか。

丹羽　僕はそういう目であんまり見ていないんです。基本的に「どうせ人間はくだらない動物だ」と思っているから（笑）。ただ、客観的な目を持って自分の声を出している人は「いいな」と思います。保阪さんもその一人ですね。いま、そういう人物がいかに少ないか。言わなきゃいけないことをぜんぜん言わないのが大多数でしょう。勇気がない。どんなに偉そうな顔をしていても、そんな人間を僕は尊敬できない。政治家でも政府の役人でも経営者でも同じです。

面白い新入社員がいなくなった

保阪　新入社員の採用面接を何年もおやりになったと思いますが、面接で学生を選ぶ時に、「こいつは新しいコップの中の水に入っていく力があるな」と見抜くわけですね。

丹羽　僕は社長になる前、部長クラスで新入社員の面接試験をやった時には、学業の成績を一切見なかったんです。大学名も見なかったし、親がどうのというのも見ない。とにかく話を聞くわけです。「君、酒はどれぐらい飲むんだ?」「飲みません」、僕の中ではペケだね。「どういう本を読んできた?」「読んでいません」、これもペケ。漫画でも何でもいいんですよ。「この本が……」と、熱心に話す学生には「面白いじゃないか」とマルをつける。面接はこちら側が3人でやっていたから、そんな調子の僕と他の2人とでは評価が分かれるわけですよ。「この人は片親だから、入ったあとに苦労するんじゃないですか」とか、「この人はちょっと暗い、おとなしいからダメですよ」なんて言い出す。そこで僕は力を入れるわけです。「片親?　仕事と何の関係があるんだ」とか、

「ニコニコしている人間ばっかり会社に入れるって、お笑いの学校じゃないんだから冗談じゃないよ」と。

いまは、僕みたいな判断をする人間がほとんどいないでしょう。偏差値の優等生ばかりを集めていて、どの商社を見ても同じような新入社員ばかり。それじゃダメです。

保阪　どこの会社も古いタイプのコップに入っている人間を採りたがるんですね。自分たちが安心したいんでしょう。

丹羽　試験官がみんな同じコップの中の水だからね。目と目を合わせて「わかった、わかった」でやっていけるワンチームの連中なんです。

保阪　さっき内向きになっていると話したように、学生のほうも変わってきたと思います。

丹羽　10年くらい前に、こんな話を聞きました。伊藤忠の新入社員10人を集めて、「これから海外に行きたい人、手を挙げて」と言ったら、女の子一人しか手を挙げない。他の男どもは、安定した収入を得られる大企業に入ったから幸せだと思っているんだ。奥さんに毎月給料を渡して喜ばれたらそれでいいなんてね。これは何なんだと、驚きました。

保阪　出版社もそうですよ。大手、中小、各社それぞれ伝統、あるいは性格が違っていた気がします。面白い編集者がいたけれども、いまは少ないですね。

丹羽　出版社の人も新しいコップの水に入らないとダメですよ。

保阪　そうですね。ただ不思議なのは、大手出版社の何社からも内定をもらう学生がいるんです。そのうちの1社に入っているんだけれども、「なんで？」と聞いたら、「給料が一番よかったから」なんて言う。でも、何社も合格するようなのはだいたいちょっと変な人なんです。変わった国に留学していたり、6年も大学に行っていたり、何か一つのことをずうっとやっていたり。そういう人間をどの出版社も欲しがるというのは、やっぱり出版社には新しいコップの水が必要だというような自覚があるのかもしれません。

丹羽　いずれにしても、ビジネスマンは若いうちにどんどん勉強しないとダメだと思います。1日の読書時間が「ゼロ」という大学生が5割以上もいるそうですが、そんなことを社会人になってからも続けていたら、ろくな仕事はできません。

僕が本格的に勉強するようになったのは、アメリカで本当のエリートのビジネスマンに出会ったからなんです。招かれて自宅を訪ねると、書斎に書類と本が山のように積んであった。ものすごく勉強しているんです。同い年だったので非常に親しくなったけれども、「これが競争相手になる男か」と、いわば危機感を持ったわけです。だから「負けられない、勉強しないといけない」と決意できた。海外に行ったら違うコップの水に入らざるを得ないけれども、当たり前のことですが、海外のコップの中にだって優秀なビジネスマンもいれば、ダメなビジネスマンもいるんです。ダメな人間とつき合っていたら、こっちまでダメになるでしょう。どうせつき合うなら優秀な人間とつき合わないと。そのへんは注意しないといけないと思う。

白黒はっきりさせない安心感

保阪　知り合いの子どもで、学校の成績がよかったからハーバード大学に行ったけれども、1年もしないうちに帰ってきたという若者がいるんですね。「なんで？」と聞いたら、海外暮らしに耐えられなかったそうです。とにかく「帰りたい、帰りたい」と言い続けていたと。いま、情報・通信網が世界に広がっているから、精神面では必ずしも日本の中に閉じこもっていないはずなのに、そんなふうに挫《くじ》けてしまう。結局、異質な空間で競争するという意欲がないんでしょうね。せっかく海外に出たのにもったいない。

丹羽　やっぱり原因は水、つまり文化の違いです。日本は白黒がはっきりしていない。曖昧模糊で、みんな「わかった、わかった、それ以上言わなくてもよい」で終わり。ところがアメリカでは、「お前、何でそうなんだ?」と白黒はっきりさせる。いい加減な答えは許されない。曖昧模糊で育った人は耐えられないんです。僕みたいにきれいに育ってない、ひん曲がっている人間は、向こうに行っても何とも思わない。「お前こそ何だ?」と、議論をするわけです。そういう文化の違いに慣れ親しむことが、まず大事なんですね。

保阪　曖昧でも許されるというのは、確かに「安心感」がありますね。

丹羽　「日本ほど、いい国はない」と思っている人が多いでしょう。「なんでアメリカなんかに行くのか」と。地方都市もそうなんですよ。「こんないい街に住んで、なんでわざわざ東京なんかに行くんだ」と。僕も会社に入る時、おふくろにさんざっぱら言われました。きょうだい4人はみんな名古屋を出ていないから、僕が4人分、外を飛び回ったというわけです。

東京の「見栄」、大阪の「本音」、名古屋は――

保阪　僕は月1回、定期的に名古屋で講演しているんですが、名古屋の人は面白いなと思いますね、東京や大阪とはちょっと違います。何しろ名古屋は女性の向上心がすごい。女性が堂々と質問する。しかもよく勉強していて、いい質問をするんですよ。

丹羽　新しい水に入った人ですか（笑）。

保阪　名古屋駅前も常に混んでいますね。レストラン街とか、お客さんは男性が少なくて、女性が圧倒的に多い。繊維工業が盛んで、女工さんが昔からお金を持っていたとも言われていますが、名古屋は女性が消費構造の中心なんですね。

丹羽　財布はみんな女性が握っているんです。名古屋の男は面倒くさがり。財布を渡しておいて欲しい時にもらったほうがいいと思っているんです。

保阪　ある日、和服姿の品のいい女性が質問してきて、最初に「私は白壁町に住んでいるんですが」と、わざわざ断ったことがあるんです。何町だろうが質問と何の関係もないのになんでだろうと思って、あとで主催者に聞いたら「白壁町は古い町で、ええとこの人が住んでいるんです」と。ちょっと面くらいました。

丹羽　白壁町ね。確かに金持ちが多い。

保阪　東京で質問する人から「私は田園調布に住んでいますが」なんて聞いたことがありませんよ。大阪や神戸でも「芦屋ですが」なんて聞かない。名古屋の人は自慢したいんですかね。

丹羽　そりゃそうでしょう。悪く言えば成金根性、貧乏根性の裏返しだね。いまはあまりお付き合いがないからよく知らないけれども。ただ、僕は名古屋に20年近く暮らしていましたから、やっぱり訪れると非常にリラックスしますね。名古屋弁も多少出ます。何だかんだ言いますが、古里は永遠にいいところです。

保阪　講演の質問で感じるのは、東京会場の人は少し見栄を張っていて、大阪会場の人は本音で話しますね。名古屋は男性の質問は東京的で、女性の質問は大阪的でくだけていて横道にそれることも少なくない。そういう違いがあるのかなと思います。

丹羽　日本というコップの中でも、とりわけ小さく嵐のない安らかなコップの中に住んでいるのかもしれません。名古屋は江戸時代から濃尾平野と木材で豊かだから小金持ちが多くて、文化もあるから外に出る気概がないんです。小金持ちだから外に出たがらない。でも、そういう安心感の裏返しで、何となく自信がなさそうにも見えるんです。

保阪　確かにそういう点を感じます。本当は日本の中心は名古屋だと思っています、と告白した若手の教員もいました。それが安心感になっているんですね。

地球の未来を真剣に考えている若者たち

丹羽　とにかく、日本はいまがよければいいという若者が圧倒的に多いです。つまり、自分の20年後、30年後をどう考えるかという視座がない。もっと大きく言えば、日本のあるべき姿とか国家の理念とか、そういう事柄を考える若者がほとんどいないんです。情報だけならスマホで調べたら片づくけれども、そうしたことは自分の頭でちゃんと考えないと、問題意識すら出てこないでしょう。

その一方で、若い人たちは日本の将来について希望を持っていないんです。2018年に内閣府が日本、韓国、アメリカ、イギリス、ドイツ、フランス、スウェーデンという計7カ国の13歳から29歳までの男女を対象に行った「我が国と諸外国の若者の意識に関する調査」というのがあるんです。それによると、「自国の将来は明るいと思いますか」という質問に、「明るい」と答えた日本の若者の割合は31・0パーセントと、7カ国中最低でした。最も高かったアメリカは67・6パーセント、日本の次に低い韓国でも41・0パーセントです。そして、日本の若者の5割近くは「日本の将来は暗い」と答えているんです。

将来に希望がないからいまの幸せだけを求めるというのは、いかにも感情的な反応だと思います。極端な話、それでは動物と一緒です。明日のことを考えないで目の前のエサを腹いっぱい食べる。リスなどエサを備蓄しておく動物もいるから、むしろ動物に失礼かもしれませんが。もちろん、スウェーデンの環境活動家の少女グレタ・トゥンベリ(2003年〜)さんのように、自分の国どころか地球の未来を真剣に考えて行動している若者たちもいる。彼女たちを見ていると、「現在を生きるというのは、未来に足を踏み入れていることなんだ」ということがよくわかりますね。

日本の若者も、もっと経験を積んで知性を磨いて、感情ではなく理性でもって自分の未来をどうしたいんだ、日本をどういう国にしたいんだということを考えなきゃいけないと思います。そのための解決法が、繰り返しになりますが「世界に出なさい」であり「本を読みなさい」なんです。

保阪　まったく同感です。同じコップの中にいると気持ちが和むし落ち着くし、別に冒険したくないとなりますよ。江戸時代の農村共同体を調べていると、今日から見たら不幸だなと思うこともたくさんある。けれども、そこに生から死まで完結した空間があるわけですね。そして、住んでいる人たちは死ぬまでに一度伊勢にお参りするのが人の幸せだなどと思っている。それはそれで、やっぱり幸せなんですよ。

現代に生きる僕らは、農村共同体という枠の中で一生を終えるなんて、さぞかし不幸だったんだろうなと思いがちだけれども、いろんな史料を読むと、そこに住んでいた人たちはそれで十分に満足しているんです。だから逆に言うと、同じコップの中にいる心地よさ、精神的な安定感というものは進歩や変化を阻害するんですね。

お金で幸福感が増すのは、年収800万円まで

丹羽　昔の田舎のおじいちゃん、おばあちゃんが言っていたのと同じことをいまの若者

たちが言っているわけです。「なんでわざわざ東京やニューヨークに行かなきゃいかんの。これほど幸せなところはないじゃないか」と。

「幸福度」に関するアメリカの有名な研究があって、お金で幸福感が増すのは年収7万5000ドル（約820万円）までだと言うんですね。それを超えると、幸福感はお金では増えなくなる。これは、行動経済学でノーベル経済学賞を受賞した心理学者のダニエル・カーネマン（1934年〜）が、世論調査会社のギャラップによる45万人規模の調査をもとに分析した結果のようです。

日本にも当てはまるんじゃないですか。800万円くらいまでは10万円でも20万円でも増えれば、このお金で家族みんなで旅行に行けるとか家具が買えるとか、もう少し貯めれば家が買えるというふうに楽しみと喜びを感じるわけです。ところが800万円を超えると、もうそういう楽しみがなくなって、むしろ物質的な喜びよりも精神的な喜びが増えないと幸せが感じられなくなるという。ただ、日本の平均年収は440万円くらいだから、まだまだ全体としてはお金が増えないと幸福感も増えないという面もあるでしょうが。

要するに僕が言いたいのは、若者は、もっと見聞を広めて精神的な喜びというものに早いうちから目覚めておかないと、将来的には幸せになれないということなんです。若者が「いまが幸せならいい」とか「お金があればいい」とか、そんなことばかり言っている国がよくなるはずがない。

専門の垣根を越えた人材を育てる

保阪　日本人の能力そのものは劣っているわけじゃないんですね。でも、同じコップの中にいたら、これ以上伸びることがないというか、どんどん衰えていく。だから外へ出て行くような仕組みをつくらなければいけないというご提案だと思います。その意味では、特に科学技術において、中国は教育や研究の内容、レベルが日本に比べて高いと思うのですが。

丹羽　いわゆるエリート層ではそうでしょう。研究費用とか研究員の人数とか、アメリカと中国が競っています。ＯＥＣＤの最近の調べでは、中国の科学者は約１６９万人、アメリカが１３８万人。日本は約66万人ですから、かなり差があります。もっと単純な話だと、中国は大学生1学年が700万人ほどいて、日本は50万人ほど。どうやって日本が勝つんだと思ってしまいますね。

さらに、日本の科学研究の大きな問題は「タテ割り」です。たとえば、コップの中の水ではなく、水そのものに関する研究なのですが、日本では六つもの省庁がやっているんです。そして、各省庁に少額の予算をつけるというようなやり方です。アメリカでも中国でも、水なら水の研究を全部ひとまとめにして2000億円というふうに予算をつけて、一気に研究を進めるわけです。トータルの金額が少ないうえに、分散して投資をしていたら効率も悪いでしょう。日本が勝てるはずがないんです。

また日本の場合、この研究をやりなさいと決めたらその研究しかやっちゃいけないんです。自動車の研究だったら自動車以外はできない。これもタテ割りです。そんな国はないですよ、アメリカにしてもヨーロッパにしても。武器の開発をしてはいけないとか、人類を危うくするなど倫理面で問題があること以外は何をやってもいいというのが研究者のルールなんです。たとえば、自動車の研究をやりながら、「薬品関連だけれど面白そうだ、この薬品の研究をさせてくれ」と言ったら、「やってよろしい」となるのが世界標準なんです。そういうふうに日本もならないと、優れた研究者は育っていきません。

保阪　だんだんそうやって、世界との差が開いていくわけですね。

丹羽　アメリカのシリコンバレーが典型でしょうが、いまの科学研究というのは広範囲にいろんな分野、業界の人が集まって進めるんです。それぞれの専門の垣根を越えて、みんながいろんなアイデアを出し合う。そうしないと技術が進歩しなくなっているんです。最近、科学研究は「アート」だとも言われています。アルゴリズムの世界ではなくて、人間の五感、直感が働かないとイノベーションは起きないというわけです。

要するに、日本が世界と競合できるような力をつけるためには、旧来のタテ割りをやめて、シリコンバレーのような自由度の高いプラットフォームを国なら国で用意する必要があるんです。いまのままでは、せっかくやる気と能力のある若者たちにとって、どこで研究していいかわからないという不幸な状態が続くと思いますね。

「ウサギの耳を持て」「内向きの空気にあらがう発言を」

保阪　若者が内向きになっているように、日本の政治もどんどん内向きになっている印象です。そして、丹羽さんが指摘したような曖昧模糊とした空気に、日本社会は相変わらず覆われています。どうしたらそういう状態から抜け出せるのか。僕は「ウサギの耳を持つ」ことが不可欠だと思います。つまり、きちんと情報を入手して分析する能力を持つこと。そのためには、丹羽さんのご提案のように海外に行って見聞を広めることも必要でしょう。海外に行くと、相手の側に立って物事を見るということができるようになりますから。ウサギの耳を持つことができなければ、ますます内にこもった独善的な空気になって、内向きの論理に凝り固まった言説が日本社会にはびこるんじゃないかと危惧しますね。

丹羽　内向きの空気を破るためには、いわゆる知的エリート、学者などが勇気を持って発言することが不可欠なのだけれども、彼らも沈黙の罠に陥っているというのが、いまの日本ではないでしょうか。それを続けている限り、日本という小さなコップの中で嵐もなく、いまが幸せならいいという状態も続くでしょうね。

年寄りの僕らは、この先どう頑張ってもあと10年です（笑）。だからかえって危機感が強いし、若者たちの内向きな気持ちを少しでも変えるように、死ぬまで発信していかなければいけないと思う。いまここで何とかしないと、日本は衰退の一途になってしまうのではないでしょうか。

保阪　戦争の歴史もそうですね。ちゃんと語り継がないといけない。たとえば日清戦争、日露戦争の戦略や戦術は、大体が当時の世界標準だったと思います。ところが、ある時から武器の近代化についていけなくなった。それなのにウサギの耳を持たず、戦術を人だけで埋め合わせていくというかたちになって、だんだん人間が前面に出て来て特攻や玉砕をやるようになる。

それと同じように、いまの内向きのワンチームの空気のままでは、戦争に限らず、これ以上やると問題だという線引きができなくなるかもしれません。

丹羽　日本の外交、安全保障もそうです。日本が重視すべきは日中、日韓、日ロ、日米、そして日朝も含めて、この五つの国との友好関係を築くことで、そのために日本は中心的な役割を担ってリードする努力が必要です。数学的に言えば、五つの国との方程式を「X＝平和」で成立させる。どの方程式を解いても、「X」の答えは一つ、「平和」。それ以外に道はないんです。

それなのに、いまの日本は平和の道からどんどん遠ざかっているでしょう。たとえば、日本はアメリカにあまりにもべったりしているから、中国は日本もアメリカと同じ「反共」国家だと見ているわけです。そういう見方も平和に注力することで、改めることができると思う。こういうことを言うと、したり顔に「能天気な理想主義だ」などと批判する人がいるけれども、「冗談じゃない、こっちのほうがプラグマティックでリベラルなんだ」と強く言いたい。言論に携わる知的エリートも沈黙の罠を破って、もっと内向きの空気に抗《あらが》う発言をしてほしいと思います。

第7章　読書のすすめ

強烈な感銘を受けた『ジャン・クリストフ』

保阪　丹羽さんは「人間はくだらない動物だ」とおっしゃったけれども、だからこそ、知性を磨くことが不可欠です。そのためには、いろんな本を読むしかない、読書の習慣を持つということですね。

丹羽　人間の本性というものを考えると、「動物の血」をいかに抑えるか、感情をコントロールするかということだと思うんです。そのために必要なのはやはり知力でしょう。人間の本性は変わらないから、知力で感情を抑えながらやっていくしかない。だから人間は本を読まないとダメなんです。読書を通じて思想、物事に対する考え方にいろんな刺激を入れることで、知力は強くしなやかなものに鍛えられていきます。ただし、本を読む前提には「自分は何も知らないんだ」という自覚がなきゃいけない。そういうある種の謙虚さがないと、せっかく本を読んでも新しい刺激をちゃんと受け止めることができないと思います。

保阪　僕は朝日新聞の書評委員を10年余続けていて気づいたんですが、本を読まない人には、いくつか共通点があると思っているんですね。たとえば、やたらと形容詞を使う、「美しい国」とか(笑)。そして、どこか鈍感で、物事の軽重がわからない。だから話す内容はひとりよがりで平板です。

丹羽　本は体で読むものです。寝転がって読んでいるだけだとすぐに忘れてしまう。だからペンを取って大事だと感じたところを書き写したり、読んでいて考えたことをメモしたり。あるいは声に出して読む。五感でもって読書することが重要なんです。単なる暇つぶしにならないように、知力を鍛えようと思うなら、ある程度努力をしないといけないでしょう。ただその裏返しで、寝転がって読んだだけなのに一行でも覚えていたら、それはすごくいい本なんですね。

僕は昔から「読書ノート」をつけています。読んでいてここは面白いとか、心に刻んでおきたいという文言を必ず書き写す。メモを取るのは読書に限りません。これはと思いついたことは食事中でもノートに書いておく。寝ている時でも、あっと思い浮かんだら起きてメモを取る。目が覚めて寝つけなくなることもありますが、忘れてしまうよりはずっといい。人間はすぐに忘れてしまう動物だから、そこでペンを取るか取らないかで、その人の知力はかなり違ってきます。じつは、僕は北京外国語大学にほとんどの蔵書を寄贈してしまったんです。これまでに書きためた読書ノートがあるおかげで、手元に本がなくてもいろいろと話したり書いたりできるというわけです。

保阪　若い人はなかなか本を読まないようですが、「どう生きればいいか」なんて悩んでいる若者に、丹羽さんが一冊すすめるとしたら、どんな本になりますか。

丹羽　よく挙げているのは、ロマン・ロラン（1866～1944年）の長編小説『ジャン・クリストフ』。全10巻に、音楽家クリストフの生涯がドイツ、フランス、スイスなどを舞台につづられるいわゆる大河小説です。作者自身は、主人公のモデルはいないと断っていますが、僕に言わせると、明らかに「ジャンクリ」はベートーベン（1770～1827年）なんです。ただ、作中では作者が生きている同時代、19世紀末から20世紀初頭のヨーロッパが色濃く描かれています。

僕はジャンクリを学生時代に読んで、生まれて初めて強烈な感銘を受けた。以来、僕の人生の柱、支えになっていると言っていいでしょうね。「自分の心に忠実に生きること」がいかに大切か、いかに難しいか。人生における重要なテーマを考えさせてくれました。金のため、出世のため、そんなことのために自分に嘘をついて生きていったとして、それでいいのか。人間は心の中で葛藤して、だいたい弱いほうの自分に負けるけれども、自分は絶対に嫌だ。だから、お世辞は言わないし、正しいと思ったら口に出す。僕がそんな生き方をしようとしているのも、ジャンクリの影響が大きいんです。

ただ最近、文庫本4冊2000ページになっているジャンクリを読み直そうとしたんですが、半分の1000ページでやめました。読んでいても若い時の感動があまりないんです。そういうものなんだね、読書は。読み手の年代によって感激度が違う。その内容が最も心に染み込む時期があって、だから『ジャン・クリストフ』は若い人に、特におすすめしているんです。

面白い本は時代によって変わる

保阪　この本を読むのにはまさに体力です。僕は挫折組でした。ともかく僕らの世代は乱読かもしれません。前に話したように漫画も含めて、いろんな本を読んできました。

丹羽　哲学者ショーペンハウエル（1788〜1860年）が『読書について』の中で、

「雑草のような本を読むのは金と時間の無駄だ。将来、大木になり幹になるような本を読め」というようなことを言っています。僕はそれに大反対でね。「ちょっと待て、ショーペンくん」と（笑）。どうやって大木を探すんですか。読む前から雑草か大木かわかるわけがない。いろんな雑草を読んでみて、初めてどれが大木になりそうかわかるわけです。だから、雑草も読んだほうがいいんです。そして、「これは将来、心に残るぞ」という本を見つけたらいい。それが読書というものです。ただ、ショーペンハウエルの時代、18世紀末から19世紀半ばには彼の言ったことは正しいのかもしれない。僕の意見は、あくまでも物質的に豊かないまの時代の読書論であって、時代によって本の読み方、あるいは参考になる本も変わるんでしょうね。

保阪　時代によって本が変わるというのはその通りだと思います。たとえば、ロシアには共産主義体制のソ連時代に書かれたスターリン（１８７９〜１９５３年）像というのがある。それに対して、１９９１年にソ連が解体して30年近く経つわけですが、どんどん若い研究者が出てきて、新しいスターリン像を書いているんですね。若い研究者は「スターリンの持っている悪というのは、ロシア人みんなが心に抱え込んでいる小さな悪なんだ。それを全部具現しているのがスターリンなんだ」といったことを書くわけですよ。「だから、ロシア人がスターリン批判をする時は己を振り返るのが前提なんだ」と。丹羽さんの「コップの比喩」を借りると、共産主義体制というコップの中で見たスターリン像と、いまの時代の新しいコップの中で見るスターリン像では、やっぱり違ってくるというわけです。

丹羽　最初の話の中で触れた『歴史とは何か』のE・H・カー、彼はロシア革命史の研究をライフワークにしていました。それも一つのコップの中で書いたスターリン像と言えるでしょう。僕はスターリンのような人間がまた出てくると思っているんです。同じコップの中にいたら、人間は同じことを繰り返すから。ロシアの新しいコップの水も30年近く経っているんだから、プーチンの水が濁っていてもおかしくない。どんどん新しい水をぶっかけないと危ないですよ。その意味では中国にもそういう危惧があると思う。いつか毛沢東（1893〜1976年）の水の代わりが出てきてもおかしくないのではないでしょうか。

保阪　水が腐らないように、ロシアや中国の若者たちにもどんどん本を読んでほしいですね。いま名前が出たE・H・カーはイギリスの歴史家ですが、僕はいろんな翻訳ものを読んでいて、イギリスが世界の物事の考え方とか、先駆的な理論を引っ張っていると感じることがあるんです。基本的な命題に関わるところはイギリスの評論家、学者がだいたい書いているという印象です。ドイツやフランス、アメリカの本を読んでも、新しい視点はあまり出てきません。

20世紀末から今日にかけては、オックスフォードやケンブリッジで研究をしている連中が、世界の論理や文化・文明の進んでいく方向性を引っ張る役をしているんじゃないかと思うんですね。彼らの本を読んでいてわかるのは、共産主義をきちんと勉強しているということです。一方、アメリカの学者はそこに初めから近寄らない。イギリスの学者はそれを学んでいるから批判は批判で正面からやるんですよ。つまり、彼らは19世紀から20世紀全体の思想を俯瞰しながら、文化・文明の姿を示唆しているのでしょう。

僕はイギリスにはあまり行ってないので、そんなに詳しくないのですが、そうしたイギリスの研究のベースには、先進帝国主義の国の宿命みたいなものがあるように感じます。常にコップの中の水を変えていかなければ、世界の指導役というか、先進帝国主義の利益を守ることができないと考える国民性があるのかもしれません。

丹羽　「歴史とは何か」といったことを考えるうえでは、古典中の古典ですが、古代ギリシャのアテナイ出身の歴史家トゥキュディデス（前460頃〜前395年）の『歴史』を読んでみるのもいいでしょうね。ペロポネソス戦争（前431年〜前404年）を記録した本ですが、ここから覇権国の現状維持に対する新興国の現状変更が戦争に至る原因になるという、有名な「トゥキュディデスの罠」をアメリカの政治学者グレアム・アリソン（1940年〜）が唱えたわけです。そう言えば、彼もハーバードからオックスフォードに留学しています。

常識というものを養うのにはモンテーニュ（1533〜1592年）の『随想録』がいいと思う。16世紀ルネサンス期を代表する思想家ですから、やっぱりギリシャ・ローマ時代の文献を世界で一番読んでいるんじゃないですか。僕は大好きです。イギリスではなくフランスですが（笑）。

日本人の必読書は柳田國男

保阪　日本の本ではどうですか。この国の歴史や文化を知るということで言うと。

丹羽　内村鑑三（1861〜1930年）の『代表的日本人』なんかいいんじゃないですか。書かれているのは西郷隆盛、上杉鷹山《ようざん》（1751〜1822年）、二宮尊徳（1787〜1856年）、中江藤樹《とうじゅ》（1608〜1648年）、日蓮（1222〜1282年）という5人。史実をどこまで拾い上げているのかあやしいけれども、こういう立派な人もいたということで、若者が読むにはいい本だと思う。それから、柳田國男の『遠野物語』と、宮本常一の『忘れられた日本人』はぜひ読んでほしい。民俗学に属する分野ですが、昔は田舎で長老がどういうふうに取り仕切っていたかとか、セックスはどうなっていたかとか、僕らのルーツのようなものが学べます。和辻哲郎（1889〜1960年）の『風土』や『鎖国―日本の悲劇』も読むに値すると思う。

保阪　僕も柳田國男、宮本常一、和辻哲郎はすすめます。特に『忘れられた日本人』は昔の庶民のことがよくわかりますね。『代表的日本人』に関連して言うと、戦後、南原繁（1889〜1974年）の後に東大総長になった矢内原忠雄（1893〜1961年）の『余の尊敬する人物』もいい本ですよ。1940年出版の岩波新書ですが、古代ユダヤの預言者エレミヤ、日蓮、リンカーン（1809〜1865年）、新渡戸稲造（1862〜1933年）という4人を取り上げていて、当時を考えると独特の人選だと思います。伝記で僕がすすめるのは、東大の政治学の第一人者だった岡義武（1902〜1990年）の著作ですね。たとえば、『山県有朋――明治日本の象徴』や『近衛文麿――「運命」の政治家』。岩波新書で読みやすいし、山県（1838〜1922年）や近衛（1891〜1945年）の人生をきちっとつかんでいて、その時代が的確に書かれています。柳田國男はどれを読んでもいいけれども、僕が好きなのは『都市と農村』とか『婚姻の話』とか。柳田民俗学は日本の地域共同体のことがよくわかるので、読んでおくべきだと思います。

丹羽　いいですよね。長老が若いのに夜這いなんかを教えても、セクハラもパワハラもない。先輩が言うからその通りにやるのが当たり前というね。僕もそういう世界で生きたかったなと思います（笑）。

保阪　宮本さんの本ですが、目が見えなくなった老人が「わしは昔から遊んでばかりだったからこうなった」なんて言ったり（笑）。面白いです。

丹羽　田舎だから何をしても、全部あっという間に知れ渡るし、よそ者が入って来てもすぐわかる。そういう世界を飛び出して活躍するというのは、よほど気力がないとダメだから、『代表的日本人』の西郷隆盛とか二宮尊徳とか、すごい気力だったと思う。こんなふうに、いろんな本をつなげて考えながら読むといいと思います。

日本中世史の専門家の横井清（1935〜2019年）が書いた『中世民衆の生活文化』もすすめておきましょう。農業中心の社会構造の中で、どのようにして「差別」が生まれたのか、どんなに苦しい生活をしていたのかといったことを、いろんな史実をもって綿密に分析している本です。京都の河原者の暮らしとかね。若者には特に、こうした日本の歴史のいわば裏側、真実の姿を学んでほしいですね。

明治を知るには、陸羯南《くがかつなん》の『近時政論考』

保阪　新聞「日本」を創刊した陸羯南（1857〜1907年）という人がいます。国粋主義的と言われているけれども、彼が1891年（明治24年）に出した『近時政論考』は、明治初期から欧米の学問が入ってきて日本の学問とぶつかり合う際に、どういう論者がどういうことを言っているかということを整理して書いた本なんですね。明治初期の言論のかたちを理解するのにすごくいいですよ。

陸羯南は津軽の出で、東邦協会の設立に参画するなど、確かに国家主義的方向に行きますが、その前に書かれた『近時政論考』はそうではなくて、欧米型のなんとか論、なんとか主義を使っているのは誰とか、日本の伝統的言論を大事にする人はこういう論を使うとかいったことが見事に整理されている。大正、昭和はそういう整理の仕方さえ常に弾圧されたから、その手の本がほとんどないんですね。つまり、明治というのは言論が活発な時代だったと言えるわけです。

丹羽　明治はナショナリズムが高揚してくる途中の時代とも言えるでしょう。そして、のちにナショナリズム的に煽る本がいっぱい出てくる。

保阪　特に「皇紀二千六百年」、1940年（昭和15年）ごろにいっぱい出てきます。その手の本を読む必要はないと思いますが、徳富蘇峰《そほう》（1863〜1957年）の本を何冊か読むと、彼は日清戦争後の三国干渉で、民権派から国権派に変わっていくわけですが、だんだんその論点が変わっていく様子がよくわかります。蘇峰はその昭和に入ると、1942年（昭和17年）にできた「日本文学報国会」の会長にもなっている。明治10年代の『将来之日本』（1886年）は民権派の立場で書いたもので、国権派になってからは、昭和10年代には、青年に与える書みたいな『昭和国民読本』『満州建国読本』『必勝国民読本』などを書いています。一人の言論人が時代によってどう意見を変えるかということがよくわかりますね。

同じ言論人でも、桐生悠々（1873〜1941年）、石橋湛山、清沢洌《きよし》（1890〜1945年）、永井荷風（1879〜1959年）らが戦争中に「生き方」について書いた本を読むと面白いと思います。時代と自分がそぐわない時にどう生きるか、むしろ若い人たちにはそういうのが参考になるんじゃないでしょうか。

丹羽　『中国戦線はどう描かれたか―従軍記を読む』（荒井とみよ、岩波書店、2007年）を読むと、当時の流行作家たちが「こんな素晴らしい中国はない」とほめちぎっていた様子がよくわかります。出版社とか新聞社とかいろんなところから金をもらって嘘八百ばかり書いていたことを作者の荒井とみよ（1939年〜）さんが明らかにしています。

それとは逆と言うわけではありませんが、最近読んだ本で、『1945年　チムグリサ沖縄』（大城貞俊、さきがけ文庫、2017年）という小説があって、僕は泣きました。作者の大城貞俊（1949年〜）は元琉球大学教授で、秋田魁新報社のさきがけ文学賞をもらった本なんですが、この年になって本を読んで涙を流すなんて、滅多にありません。若い人にぜひ読ませたいと思った。「チムグリサ」は沖縄の言葉で「相手の身になって悲嘆にくれる」という意味だそうです。読み進めているうちに本当に頭にきたと言うか、怒りが湧いてくる。終戦の年に沖縄で何が起きたか。1945年（昭和20年）3月、沖縄にアメリカ軍が上陸してから、どういう恥辱、陵辱を少女が受けたか、黙って見ていた日本の兵隊はどうだったのか、ハンセン病の患者はどう差別されたのか。そういう悲惨が克明に描かれています。どこまで本当か知りませんが、戦争というものが本当に許せない、そういう気持ちになります。

戦争は政治の延長——クラウゼヴィッツの『戦争論』

保阪　「戦争とは何か」ということを考えるヒントとして、古典的名著、19世紀のプロイセン貴族のカール・フォン・クラウゼヴィッツ（1780〜1831年）が書いた『戦争論』を挙げておきたいですね。

彼は、ヨーロッパ中が戦ったナポレオン戦争の最後、1815年のワーテルローの戦いでナポレオン軍を撃破して名参謀と称された人です。クラウゼヴィッツは「戦争とは、政治の衝突の延長である」という有名な言葉を残しています。かなり昔の軍人とはいえ、政治と軍事がどういうふうに関わるかということを明確に整理してあって、今日でも通じる議論だと思います。

丹羽　僕は残念ながら読んでいないけれども、略奪とか陵辱とかについては、どう論じているんですか。

保阪　そういうものは戦争の付随的行為だと。戦争は独立したバトルではなく、政治の延長、あくまでも政治的行為だと書いています。軍人はその役を引き受ける以上、こういう心構えでのぞむべきだという議論なんです。

丹羽　一般の兵隊ではなく、戦争指導者はどう考えて戦争をするのかという内容ですか。

保阪　そうです。日本にもわりと早い段階で入ってきているんですが、軍人たちは嫌うんですね。日本の軍人は戦争を政治の延長ではなく、バトルと思っていて、勝って賠償金を取ることが戦争だとずうっと考えていたから。じつは、日本の戦争学、戦争論というのは世界から見ると、かなり異質なんです。

最近、フランスのエリック・アリエズ（1957年〜）、イタリアのマウリツィオ・ラッツァラート（1955年〜）という二人の学者が共同で書いた『戦争と資本』（作品社、2019年）を読んだのですが、新しい戦争論が出ていました。たとえば、「戦争とは何か」というような本質的な問いに対して、「戦争自体がある種人間の日常の中にあって、福祉国家は国家総力戦の延長に過ぎない」と。戦争で国が豊かになることで福祉が生まれてきた。つまり、「福祉国家は戦争の産物だ」というわけです。国家総力戦の名のもとに戦争が行われ、その後に福祉国家に転じていく。こういう見方はこれまでにあまりなかった戦争論です。

丹羽　確かに勝ったほうは自分の国でそれができるでしょう。負けたほうにそんなお金はない。僕に言わせれば、戦争やらなきゃ一番いいということになります。

「人間とは何か」ということがわかる本も紹介しておきたいですね。たとえば、ノーベル生理学・医学賞を受賞したフランスの研究者、アレキシス・カレル（1873〜1944年）の『人間　この未知なるもの』。1935年に出た世界的名作ですが、特に経営者には、ぜひ読みなさいと言いたい。生物、動物としての人間を知らずして、企業経営や社員教育はできません。

ただ、この本はすごくエリート主義なんです。当時は「ノブレスオブリージュ」（「貴族たるもの、身分にふさわしい振る舞いをしなければならぬ」の意）にしても、それが当たり前だったのでしょうが、いま読むと問題ありだと思う。それに、「優生思想」につながりかねない記述もある。生きる活力、能力というのは半分、遺伝的なものがあるんじゃないかというようなことが出てくるわけです。そのへんは注意して読まないといけませんね。

アメリカの書籍がダメな理由

保阪　E・H・カーの『歴史とは何か』に相当するような本は、日本にはあまりありませんね。そんなタイトルの本は結構あるけれども、どうしても唯物史観至上主義のようなところがあって、一つの見方について説得するような議論が多い。つまり、広がりがないというのが日本のその手の本の特徴だと思います。そういう意味では、むしろ中央公論の『世界の歴史』とか、基礎教養のシリーズを読んだほうがいいと思います。

丹羽　同じジャンルで言うと、岩波書店の「大航海時代叢書」もいいですよ。１９６０年代から90年代に刊行されていて、全部で45巻くらいある。世界の人々とヨーロッパの人々がどのような交流をしたのか、あるいは略奪、虐殺したのかが克明に書かれています。

保阪　先ほど「先駆的な引っ張り役はイギリスの本がやっている」と言いました。一方で、たとえばアメリカは、資本主義の目でしか分析しないからどうしても論点が狭まるし、フランスはまったくフランス至上主義というか、フランス的美学の中で論ずるわけです。

アメリカの本は、マーケット調査をして出しているなと感じるのがすごく多いんですよ。たとえば「いま日本人は、真珠湾攻撃はフランクリン・ルーズベルト（1882～1945年）がはめてやらせたものだと言うと喜ぶ」というようなマーケット調査が出ると、そういう本を誰かに書かせるわけですね。そして、「真珠湾はルーズベルトの陰謀だった」なんていう翻訳本を出す。あるいはそういう本に日本人向けのタイトルをつけて出版する。すると、日本の変な連中が喜んで買うんです。

ただ、アメリカ的な正義で書かれる本もあるんですね。たとえば、マクスウェル・テイラー・ケネディ（1965年～）の『特攻 空母バンカーヒルと二人のカミカゼ――米軍兵士が見た沖縄特攻戦の真実』（ハート出版、2010年）。著者はロバート・ケネディ（ケネディ大統領の弟、1925～1968年）の息子で、ブラウン大学ジョン・カーター・ブラウン図書館の研究員をやっているんですよ。バンカーヒルという空母が沖縄近海に来た時に、日本の特攻隊が行って沈める。その時にバンカーヒルで400人くらい死ぬんですが、その特攻隊の二人とアメリカの青年たちを取り出して、彼らが同じ時代に生まれて、こういう生活をしてきて、ここで出会ってそれぞれの人生を終えるというスタンスで書く。アメリカンヒューマニズムみたいなのがやっぱりあるんですね。それは少数とはいえ、ある意味でアメリカらしい面白い視点だと思います。

ところが日本では、この本が特攻隊を讃えるような、歪んだ読まれ方をされるんですね。本当は、もっと総合的な戦争の時代に出会った青年たちの不幸を描いているにもかかわらず、それをナショナリズムのほうに引き寄せて読む人が少なくないんですよ。

丹羽　アメリカは異民族の集合体で「若い国」だから、歴史に関するいい本は書けないんじゃないかな。イギリスが強いのは、戦争にしても何にしても歴史があるからです。長い歴史を照らし合わせながら思考を重ねるということができる。そのへんの違いもあるでしょう。

保阪　ケンブリッジ大学の創立は1209年、オックスフォード大学の創立は1167年とされていますから、単純に学問の含み資産が違うんですね。

丹羽　アメリカから出てくるのは、経済にしても政治にしても、単に目新しいもの。イギリスにはもちろん、フランスにもドイツにも勝てないと思います。

保阪　アメリカはプラグマティックなものぐらいですね。

丹羽　トランプ大統領には、ウィンストン・チャーチル（1874～1965年）が書いた『A History of the English-Speaking Peoples』（英語圏の人々の歴史／カエサルのブリタニア侵攻から第2次ボーア戦争までを論じ、英語圏の連携を説く全4巻）のようなものは、逆立ちしたって書けっこありませんよ。まあ、誰も期待していないでしょうが。

保阪　第二次世界大戦の本もずいぶん出ていますが、イギリスの本は、世代が変わってくると視点も変わってくるんですね。たとえば、イギリスはドイツを徹底的に爆撃しましたが、その都市爆撃の8割は1945年に入ってからだと、いまのイギリスの若い研究者は調べるんですね。そして、「これは復讐である」と論ずる。最後にドイツが弱まった時にイギリスが徹底的にドレスデンでもどこでも爆撃したのは、ドイツがあれだけロンドンを爆撃したことへの復讐であると。だから、「イギリスがドイツを爆撃したのは、戦争という枠の中から外れて考えなきゃいけない」というわけです。そういうユニークな論点を出してくるのがイギリスの学問の歴史の厚みなんですね。アメリカからはそんな論点はぜんぜん出てこない。

知らないことが山ほどある、だからどんどん読む

保阪　僕の高校時代には、社会主義的な本を読んでいる連中が結構いました。僕も読んでいたけれども、いまの若い人にはすすめません。

丹羽　そう言えば、僕も『ソ連邦共産党史』（ソヴィエット同盟共産党中央委員会、現代社、1959年）という全部で5冊かな、分冊の新書みたいな本をよく読んでいました。

保阪　僕がよく読んでいたのは世界史の通史ですね。先ほど丹羽さんが挙げたショーペンハウエルも読みましたよ、『読書について』とか『死について』とか。アラン（1868～1951年）の『宗教論』なんかも読んだけれども、いまの高校生はそういう本は読まないでしょう。

丹羽　ホセ・オルテガ（1883～1955年）の『大衆の反逆』やオスヴァルト・シュペングラー（1880～1936年）の『西洋の没落』など、一般的に有名な本は若い頃に読んだけれども、ああいうのは、たいがい退屈です。最後まで読みきらないで終わることも多いね。

保阪　僕は米川正夫（1891〜1965年）訳のトルストイ（1828〜1910年）なんかを読んで文学的な興味を持ったけど、いま人気がないそうです。モーパッサン（1850〜1893年）にしてもアンドレ・ジード（1869〜1951年）にしても。

丹羽　そんな本を読む暇も、本に使える金銭的な余裕もないのかもしれない。でも、あえて選り好みしないで手当たりしだいに読んでみろと言いたいですね。ちょっと読んで、面白くないと思ったら読まなくていいし、面白そうと思ったら読んだらいいし。もっと本にはお金を惜しまずに使ってほしい。本屋に行って、「あー、面白そうだ」と思ったらとりあえず買っておく。僕はそういう生活をしてきました。そうしないといい本には当たらない。スマホをやっていればいいという人には、難しいかもしれないけれどもね。

保阪　僕も「乱読」をすすめます。というか、読書というのは本来、そういうものだと思いますよ。自分が知らないことを知ったり刺激を受けたりするのが読書なんだから、知らないことが山ほどある以上、手当たりしだいに読む以外ないわけです。

丹羽　いま保阪さんと僕が挙げた本を、もしちょっとでも読みたいと感じたら、どんどん躊躇しないで読むことです。気持ちがあるのに読まないというのは、怠惰以外の何ものでもない。それは読書に限りません。僕が言いたいのは「とにかく勇気を出して一歩前に踏み出しなさい」ということ。じーっとしていますね、いまの日本人は。小さなコップの濁った水の中で騒いでいるだけで、一歩も外に出ようとしない。それじゃあ、若さがもったいない。

終　章　未来と過去からの問いかけ

日本人の不安と空威張り

丹羽　いま多くの日本人は、将来に対してすごく不安なんです。憲政史上、最長政権の首相が、政策スローガンの旗色をあれこれ変えて推進しようとしているが、給料もあんまり上がらない、仕事もパッとしたものがない。少子高齢化の問題なども山積み。だんだん環境的に悪くなっていて、将来どうなるか見通しがつかない。それでどういう行動をとっているか。ひたすら内にこもっているわけですね。

たとえば、嫌中・嫌韓の言説が流布しています。過去の日本に対する思い入れがあって、「チャイニーズ、コリアンに負けるわけがないじゃないか」と思っている。でも一方で、毎年のように確実に国の力が落ちているし、中国はもちろん韓国も確実に力をつけている。そういう現実を前にして、いま日本人は「オレたちはこんなに強いんだ」と空威張りしているんです。中国も韓国も、もはや折れるわけがないのに、「偉そうにしやがって。日本をバカにするな」と自意識過剰になっている。過去に執着した空威張りというのは、まさにコップの中の水が濁りかけている証拠です。日本はそんな情けない国になりつつあるんじゃないですか。

保阪　過去に執着しながら、あまりにも一面的に歴史を捉えるから空威張りになるのでしょう。僕たちはもっと歴史を学ばないといけないと思いますね。

丹羽　歴史を多面的に知るには、やっぱりきちんとした史料が不可欠です。それなのに、公文書を焼却したり破棄したり消去したり、黒塗りしたり白塗りしたりしているのがこの国です。それは現在だけじゃなく、将来の日本に対して大変な罪悪です。何も権力者や政府だけの問題ではなくて、すべての人に、できるだけ事実を、いま起きていることを記録として残しておかないと日本の将来が歪むんだという認識を、しっかり持ってほしい。

保阪　アメリカやロシアは史料、公文書をきちんと残しています。そうした文化がちゃんと根付いているわけですね。1991年にソ連が崩壊した時に新聞社の人とロシアに史料を見に行ったんです。そうしたら、もういろんな国の人たちが来ていました。一番びっくりしたのは、アメリカのイェール大学が共産党の第1回から最後の第28回までの党大会の議事録を全部買っていたことです。イェール大学はいまから10年後の2030

年にソ連の共産党大会の研究書、あるいはシリーズの本を出すだろうと言われていますが、あれから40年も研究し続けてようやくかたちにするんですね。

イギリスは、ある辞典を出している出版社がイギリスの情報機関MI6とロシアのKGBとの関係を示す史料をごっそり買ったと言われています。フランスも何かまとめて買っていました。そこへ僕らが行ったら、向こうのアカデミーの連中が「いまなら岡田嘉子（ソ連に亡命した女優、1902～1992年）の史料が1000ルーブルだよ。NHKが1200で買うって言っているけど」なんて売り込むわけです。完全にバカにしているわけですが、要するに、史料の収集や所蔵、それを公開するということに関して、日本がいかにルーズかということが世界的に知れ渡っているということなんです。確かに日本は敗戦の時に大量の公文書を焼却しました。そういうことをすると、こうやってからかわれるんだなと実感しましたね。

丹羽　それなのに、日本政府は「全部を蓄えておく余裕がありません」とか「期限がきたから消却しました」なんて平気で言っている。いまITでなんぼでも保存できるのに、何を言っているんでしょうか。「いい加減にしろ！」と僕は怒鳴りつけたいね。将来の日本人が日本の歴史を書こうとしたら史料がない。そんなみっともない国にしちゃいけませんよ。

私たちの「覚悟」

丹羽　地球の気候変動について抗議活動をしているグレタさんを始めとして、いま世界の若者たちの発言・行動に大人たちが注目していますね。「未来を担う人たちがこういうふうにしてほしいと言っている。真剣に考えなきゃいけない」と。つまり、それは未来から現在への問いかけなんですね。その意味は重いと思います。将来のためにいまを生きる僕たちはどうすべきかということが、より具体的に未来の当事者から提案されているわけですから。

保阪　２０１８年6月23日、沖縄慰霊の日に沖縄全戦没者追悼式で中学生の相良倫子さんが自作の詩（平和の詩「生きる」）を力強く読み上げました。

「私は、今を生きている。みんなと一緒に。そして、これからも生きていく。一日一日を大切に。平和を想って。平和を祈って。なぜなら、未来は、この瞬間の延長線上にあるからだ。つまり、未来は、今なんだ」と。同じですよね、現在は同時に未来でもある。

丹羽　いまを生きる僕たちは未来に足を踏み入れているんですよ。いま平和を願うことは、何もいまがよければいいという話ではありません。未来の平和に向かって動いているということなんです。

保阪　未来からの問いかけがあるように、過去からの問いかけもありますね。それが歴史というものでしょう。未来について考えることもそうですが、歴史について考えることは現実の僕たちの自制心につながります。だからこそ、いまの記録をきちんと残しておかないといけない。そして、若者たちが将来を語るのと同じように、僕ら年寄りが歴史を伝えていくというのも、未来のために果たすべき大事な役目だと改めて感じます。

丹羽　未来に対しても過去に対しても、できる限り自分なりの答えを残しておきたい。この対話のベースには、そういう僕らのある種の「覚悟」があったということも伝わっていたらうれしいですね。

おわりに　小さな蟻は何を見ているのか

この「おわりに」の書き出しを考えながら寝入ったら、へんてこな夢を見てしまった。新型コロナウイルスのパンデミックに心を痛めているせいもあったと思う。

私は恐竜の足元に迷い込んだ一匹の小さな老蟻だった。もう何年も走り回っているのに目にする景色はずうっと巨大な足のままで、そこが爪先なのか踵《かかと》なのかさえもわからない。いたずらに同じ恐竜の足元をうろうろと這い回り、途方に暮れている。

年老いた蟻の私は、こんなことを考えていた。

地球上で最大と最小の生物って何だろうか。おそらく恐竜と蟻だ（生物学者でもない門外漢なのだから間違っていても許してほしい）。

最大の恐竜は言わずと知れたアルゼンチノサウルスだ。全長35メートル、体重100トン。体重150キロの相撲力士666人分だ。最小の蟻は体長1ミリのコツノアリ。細菌マイコプラズマとか、ややこしい話はさておき、この年になると虫眼鏡が必要になるほどで、つまみあげるのも苦労する（同じ蟻なのに！）。

小が大の足元にいたら、いつまでたっても小が見る景色も大との関係も変わらない。少しばかり動いても、恐竜はひと足で、蟻の歩みの何千倍も進み、蟻の見る景色は永遠に元の巨大な足に戻ってしまう。小がどんなに一生懸命走っても、大の世界の外には出られないのだろう。蟻の私は、ただ茫然とするしかなかった――。

目が覚めても気分は沈んだままだった。枕元に置いている「十年日記」をぱらぱらとめくり、読み返してみる。毎夜これを書いているが、会う人は時折変われども、日々の生活がまるで変わっていないことに我ながら驚いてしまう。

人間って、なんて情けない生き物なんだろうか。新しいことをしているようでいて、いつまでたっても同じ生活を繰り返している。恐竜の足元に棲む蟻が永遠に脱出できないように、外の世界へ出ることができない人間は、何の刺激もなく、同じような仲間と毎日同じように過ごしている。とくに小さなコップの中の澱んだ水に漬かった日本人の臭いが鼻につく。平成の30年だけでなく、昭和も大正も明治も、コップの中の水は変わっていない。変わったという証しも感じられない。

脱することのできないコップの中の澱んだ日本の水とは何か。大きくは次の二つだ。

○天皇を頂点とするお上、年長者、祖父母、両親など、年功序列の「タテ」文化の中で昔から過ごしてきたし、今も官民ともに「ヨコ」を見ることは皆無に近く、タテの上ばかりを見ている。

○権限・責任に関してはできる限りケンカや対立を避け、悪い「ワンチーム」の曖昧模糊を大切にする。誰の責任でもないという社会的意識。思い出せば、いつも「一億総懺悔《ざんげ》」――我々みんなが悪い――まさに一億総無責任社会であった。

世界は、歴史的に見れば全人格的に結合する共同社会（ゲマインシャフト、Gemeinschaft）と、利益的関心に基づいて一部結合する利益社会（ゲゼルシャフト、Gesellschaft）とに大別される。前者の代表が血縁社会であり、後者の代表が企業社会だ。ゲマインシャフトとゲゼルシャフトという対照的な世界には数多くのコップがあり、各々の小さなコップの中で私たちは日々生活している。

自分が所属する小さなコップから思い切って脱出し、どこの国か、どんな社会かは別として、新しいコップの水＝刺激＝を浴びないと、人間は決して変われないだろう。

過去の体験者の大部分が断言しているように、この国の小さなコップから思い切って脱出した日本人は、再び日本に戻って来た時、濁って澱んだ日本臭の強いコップの水の中に入り直すことはない。

袋小路の、恐竜の奴隷蟻から決別しよう。澱んだコップの水からも思い切って脱出し、決別しよう。海外の文化、民族、未体験の社会の新しいコップの中へ足を踏み入れることは、必ずや、未来の日本の姿を描き、この国のかたちをつくり変える第一歩となるだろう。

老若男女、年齢に関わりはない。「自分が変わらなくして日本は永遠に変わるわけがない」と自覚し、海を越えて第一歩を踏み出そう。それが日本の未来のとば口なのだ。

さあ、いまこそ勇気と決断の時だ。特に若い君たち、未来へ踏み出せ！

保阪正康氏との数回にわたる対話の機会を得た幸運に感謝申し上げる。氏の熟練の導きのおかげで、肝胆相照らす気持ちになり、心ゆくまで議論できたことを大いに喜びたい。

最後になったが、15時間にも及ぶ我々二人の議論をこのように整理し、まとめていただいた朝日新聞出版の三宮博信、宇都宮健太朗、高橋和彦、福場昭弘の四氏にお礼を申し上げる。

2020年4月

丹羽宇一郎

丹羽宇一郎　にわ・ういちろう
1939年生まれ。元伊藤忠商事株式会社会長。元中華人民共和国特命全権大使。名古屋大学法学部卒業後、伊藤忠商事入社。98年に社長に就任し、約4000億円の不良債権を一括処理しながら次年度の決算で同社史上最高益（当時）を計上した。現在、日中友好協会会長。『人を育てよ』『社長って何だ！』など著書多数。

保阪正康　ほさか・まさやす
1939年生まれ。ノンフィクション作家。同志社大学文学部社会学科卒業。編集者を経て作家活動に。「昭和史を語り継ぐ会」主宰。延べ4千人に及ぶ関係者の肉声を記録してきた。2004年、一連の昭和史研究で第52回菊池寛賞受賞。『昭和陸軍の研究』『昭和の怪物七つの謎（正・続）』『昭和史の急所』など著書多数。

朝日新書
763

負《ま》けてたまるか！　日本人《にほんじん》

私たちは歴史から何を学ぶか

2020年5月30日第1刷発行

著　者　丹羽宇一郎
　　　　保阪正康

発行者　三宮博信

カバーデザイン　アンスガー・フォルマー　田嶋佳子

印刷所　凸版印刷株式会社

発行所　朝日新聞出版
〒104-8011　東京都中央区築地5-3-2
電話　03-5541-8832（編集）
　　　03-5540-7793（販売）

Published in Japan by Asahi Shimbun Publications Inc.
ISBN 978-4-02-295071-0
定価はカバーに表示してあります。

落丁・乱丁の場合は弊社業務部(電話03-5540-7800)へご連絡ください。
送料弊社負担にてお取り替えいたします。

安倍晋三と社会主義
アベノミクスは日本に何をもたらしたか

鯨岡 仁

異次元の金融緩和、賃上げ要請、コンビニの二四時間営業まで、民間に介入する安倍政権の経済政策は「社会主義」的だ。その経済思想を、満州国の計画経済を主導し、社会主義者と親交があった岸信介からの歴史文脈で読み解き、安倍以後の日本経済の未来を予測する。

資産寿命
人生100年時代の「お金の長寿術」

大江英樹

年金不安に負けない、資産を〝長生き〟させる方法を伝授。老後のお金は、まずは現状診断・収支把握・寿命予測をおこない、その上で、自分に合った延命法を実践することが大切。証券マンとして40年近く勤めた著者が、豊富な実例を交えて解説する。

かんぽ崩壊

朝日新聞経済部

朝日新聞で話題沸騰！「かんぽ生命　不適切販売」の一連の報道を書籍化。高齢客をゆるキャラ呼ばわり、偽造、恫喝……驚愕の販売手法はなぜ蔓延したのか。過剰なノルマ、自爆営業に押しつぶされる郵便局員の実態に迫り、崩壊寸前の「郵政」の今に切り込む。

ゆかいな珍名踏切

今尾恵介

踏切には名前がある。それも実に適当に名づけられている。「畑道踏切」と安易なヤツもあれば「勝負踏切」「天皇様踏切」「パーマ踏切」「爆発踏切」などの謎めいたモノも。踏切の名称に惹かれて何十年の、「踏切名称マニア」が現地を訪れ、その由来を解き明かす。

朝日新書

一行でわかる名著

齋藤 孝

一行「でも」わかるのではない。一行「だから」わかる。『百年の孤独』『悲しき熱帯』『カラマーゾフの兄弟』『老子』――どんな大作も、神が宿る核心的な「一行」をおさえればぐっと理解は楽になる。魂への響き方が違う。究極の読書案内&知的鍛錬術。

日本中世への招待

呉座勇一

中世は決して戦ばかりではない。庶民や貴族、武士の結婚や離婚、病気や葬儀に遺産相続、教育は、中世の日本でどのように行われてきたのか? その他、年始の挨拶やお中元、引っ越しから旅行まで、中世日本人の生活や習慣を詳細に読み解く。

簡易生活のすすめ

明治にストレスフリーな最高の生き方があった!

山下泰平

明治時代に、究極のシンプルライフがあった! 簡易生活とは、根性論や精神論などの旧来の習慣を打破し効率的な生活を送ろうというもの。無駄な付き合いや虚飾が排除され、個人の能力は最大限に発揮される。おかしくて役に立つ教養的自己啓発書。

スマホ依存から脳を守る

中山秀紀

スマホが依存物であることを知っていますか? 大人も子どもも知らないうちにつきあい、知らないうちに依存症に罹るのがこの病の恐ろしさ。国立病院機構久里浜医療センター精神科医が警告する、ゲーム障害を中心にしたスマホ依存症の正体。

決定版・受験は母親が9割

佐藤ママ流の新入試対策

佐藤亮子

共通テストをめぐる混乱など変化する大学入試にこそ「佐藤ママ」メソッドが利く! 読解力向上の秘訣など新時代を勝ち抜くカギを、4人の子ども全員が東大理Ⅲ合格の佐藤ママが教えます。ベストセラー『受験は母親が9割』を大幅増補。

ひとりメシ超入門

東海林さだお

ラーメンも炒飯も「段取り」あってこそうまい。ショージさんが半世紀以上の研究から編み出した「ひとりメシ十則」を初公開! ひとりメシを楽しめれば、人生充実は間違いなし。『ひとりメシの極意』に続く第2弾。南伸坊さんとの対談も収録。

朝日新書

閉ざされた扉をこじ開ける
排除と貧困に抗うソーシャルアクション

稲葉 剛

25年にわたり、3000人以上のホームレスの生活保護申請に立ち合うなど貧困問題に取り組む著者は、住宅確保ができずに路上生活から死に至る例を数限りなく見てきた。支援・相談の現場経験から、2020以後の不寛容社会・日本に警鐘を鳴らす。

患者になった名医たちの選択

塚﨑朝子

がん、脳卒中からアルコール依存症まで、重い病気にかかった名医たちが選んだ「病気との向き合い方」。名医たちの闘病法に必ず読者が「これだ！」と思う療養のヒントがある。帚木蓬生氏（精神科）や『「空腹」こそ最強のクスリ』の青木厚氏も登場。

自衛隊メンタル教官が教える
50代から心を整える技術

下園壮太

老後の最大の資産は「お金」より「メンタル」。気力、体力、脳力が衰えるなか、「定年」によって社会での役割も減少します。「柔軟な心」で環境の変化と自身の老化と向き合い、新たな生き方を見つける方法を実践的にやさしく教えます。

江戸とアバター
私たちの内なるダイバーシティ

池上英子
田中優子

武士も町人も一緒になって遊んでいた江戸文化。それはダイバーシティ（多様性）そのもので、一人が何役も「アバター」を演じる落語にその姿を見る。今アメリカで議論される「パブリック圏」をひいて、日本人が本来持つしなやかな生き方をさぐる。

不安定化する世界
何が終わり、何が変わったのか

藤原帰一

核廃絶の道が遠ざかり「新冷戦」の兆しに包まれた不穏な世界。民主主義と資本主義の矛盾が噴出する国際情勢をどう読み解けばいいのか。米中貿易摩擦、香港問題、中台関係、IS拡散、反・移民難民、ポピュリズムの世界的潮流などを分析。

モチベーション下げマンとの戦い方

西野一輝

細かいミスを執拗に指摘してくる人、嫉妬で無駄に攻撃してくる人、意欲が低い人……。こんな「モチベーション下げマン」が紛れ込んでいるだけで、情熱は大きく削がれてしまう。再びやる気を取り戻し、最後まで目的を達成させる方法を伝授。

京都まみれ

井上章一

少なからぬ京都の人は東京を見下している？ 東京への出張は「東下り」と言うらしい？ 古都をめぐる毀誉褒貶は令和もやまない。外国人観光客を引きつけて日本のイメージを振りまく千年の誇らしげな洛中京都人に、『京都ぎらい』に続いて、もう一太刀、あびせておかねば。

タコの知性
その感覚と思考

池田 譲

地球上で最も賢い生物の一種である「タコ」。大きな脳と8本の腕の「触覚」を通して、さまざまな知的能力を駆使するタコの「知性」に迫る。最新研究で明らかになった、自己認知能力、コミュニケーション力、感情・愛情表現などといった知られざる一面も紹介！

老活の愉しみ
心と身体を100歳まで活躍させる

帚木蓬生

終活より老活を！ 眠るために生きている人になるな、精神的不調は身を忙しくして治す……小説家で医師である著者が、長年の高齢者診療や還暦での白血病の経験を踏まえて実践している「食事」「習慣」「考え方」。誰一人置き去りにしない、快活な年の重ね方を提案。

朝日新書

負けてたまるか！ 日本人
私たちは歴史から何を学ぶか

丹羽宇一郎
保阪正康

「これでは企業も国家も滅びる！」。新型ウイルスの災厄に見舞われた世界情勢の中、日本の行方と日本人の生き方もまた、かつてなく混迷と不安の度を深めている。今こそ、確かな指針が必要だ。ともに傘寿を迎えた両者が、待望の初顔合わせで熱論を展開。

SDGs投資
資産運用しながら社会貢献

渋澤　健

SDGs（持続可能な開発目標）の達成期限まで10年。渋沢栄一『論語と算盤』の衣鉢を継ぎ、楽しくなければ投資じゃない！ をモットーに、投資を通じて世界の共通善＝SDGsに貢献する方法を詳説。着実に運用益を上げるサステナブルな長期投資を直伝。

テクノロジーの未来が腹落ちする25のヒント

朝日新聞
「シンギュラリティー
にっぽん」取材班

AI（人工知能）が人間の脳を凌駕する「シンギュラリティー」の時代が遅からず到来する？ 医療、金融、教育、政治、治安から結婚までさまざまな分野で進む技術革新。その最前線を朝日新聞記者が国内外で取材。人類の未来はユートピアかディストピアか。

「郵便局」が破綻する

荻原博子

新型コロナ経済危機で「郵便局」が潰れる。ゆうちょ銀行の株安は兆単位の巨額減損を生み、復興財源や株式市場を吹っ飛ばしかねない。「かんぽ」に続き「ゆうちょ」でも投資信託など不正販売が問題化。郵便を支えるビジネスモデルの破綻を徹底取材。

人類対新型ウイルス
私たちはこうしてコロナに勝つ

トム・クイン
塚﨑朝子　補遺
山田美明　荒川邦子　訳

新型コロナウイルスのパンデミックは一体どうなる？ ウイルスによる過去最悪のパンデミック、1世紀前のスペイン風邪は死者5000万人以上とも。人類対新型ウイルスとの数千年の闘争史を活写し、人類の危機に警鐘を鳴らした予言の書がいま蘇る。